근육교정

KB015444

근육교정

근육이
바른
체형을
만든다

궁윤제

책쓰는연필

차례

1부   바른 체형의 기초

1장   내 몸 바로 알기

2장   몸의 기둥, 척추 바로 세우기

3장   바른 자세로 돌아가기

2부 바른 체형을 만드는 근육교정

프롤로그

내 몸의 건강은 나의 신념과 철학이 바로 서있을 때 지킬 수 있다. 전문 서적 몇 권 읽고, 건강 강의 많이 들었다고 내가 내 몸을 판단하고, 잘 알고 있다고 생각하는 것은 사지선다형 문제에서 5번을 선택하는 것과 같다. 답이 없는 것이다.

사람들이 건강해지려고 하는 행동 중 가장 많이 하는 어리석은 행동은 누가 "암이 나았다." 혹은 "몇 년 아프다가 건강해졌다."라고 하면 우르르 몰려가서 그가 한 섭생과 행동을 따라 하는 것이다. 그 사람이 살아남은 이유는 그 사람에게 반드시 필요한 영양을 섭생하고, 맞는 행동을 했기 때문이다.

같은 부모에게서 나온 자식들도 생활 패턴과 환경, 습관, 자세에 따라 다른 건강을 갖게 되는데, 전혀 다른 유전자를 갖고 있는 사람의 건강을 내 것처럼 생각하는 것은 불을 향해 달려드는 불나방과 같은 운명이다.

반드시 기억해야 할 것은 내 몸은 내가 움직여서 하는 운동과 매일 반복되는 성실한 노력으로만 관리할 수 있다는 것이다. 의사와 상담을 하고 진료를 받으며 치료 방법에 대한 조언을 들었더라도, 그 방법에 대해서 맹신하지는 않아야 한다. 맹신을 하는 것은 열정으로 비추어 질 수도 있겠지만, 그 내면엔 옳고 그름을 따지지 않는 게으름이 전제된다. 무조건 믿고 따르다 그 길의 끝에 길을 잘못 들었다는 것을 깨닫게 되면 이미 늦은 것이다. 그때의 후회와 원망은 그 누구도 책임져 주지 않으며 온전히 내 몫으로 남는다. "음식으로 고치지 못하는 병은 의사도 고치지 못한다."라고 고대 그리스 의학의 시조인 히포크라테스가 말했다. 마찬가지로 내가 스스로 고칠 수 없는 내 몸의 문제는, 처음 본 혹은 몇 번 본 의사가 고치는 것은 근본적으로 불가능하다.

이 책은 내 몸을 사용하며 바른 체형을 유지하기 위한 핵심을 나누고, 건강한 생활을 하기 위한 바른 자세와 운동 방법을 참고할 수 있는 내 몸 사용 설명서이다.

약 18년간 필자가 만난 9000명이 넘는 분들의 사례를 통해 찾아낸 머리부터 발가락까지 몸의 아픈 부분과 원인을 이야기한다. 그 이야기 속에서 내가 어떻게 몸을 활용해야 100세 시대를 맞이한 현시대에 죽기까지 건강하게 잘 사용할 수 있을지에 대한 포인트를 정리했다.

그간의 경험을 녹여 이 책을 저술하며 필자의 테크닉이 도수치료, 카이로프랙틱, 추나 등으로 불리는 것처럼 손으로 치료하는 행위를 지칭하는 방식과 비슷한 결을 가진 것처럼 보이나 깊이가 달라 이미 있는 명칭으로는 부를 수 없음을 알게 되었다. 그래서 필자가 가진 테크닉을 '근육교정'이라고 새롭게 이름을 붙였고, 그것이 책의 제목이 되었다. 근육교정은 마사지와 비슷한 원리를 가지지만, 아픈 지점보다는 근본적인 통증을 유발하는 핵심 근육을 찾아낸다. 근육교정을 통해 몸의 전체 밸런스가 안정이 되고 근육을 사용하는 방법이 바로 세워졌다면, 이제 내 몸을 내가 고칠 수 있는 준비가 된 것이다. 근육교정을 받고 있거나 끝나고 난 후에도 스스로 관리할 수 있도록 이 책이 여러분을 도울 것이다.

근육교정을 하며 현장에서는 쉽게 풀이해서 전달했다면, 책에는 근육의 이름과 근육이 부착되어 있는 위치, 기능 등을 좀 더 상세히 설명해 두었다. 근육의 아픈 부분은 주로 한의학의 혈자리, 흔히 우리가 알고 있는 경락의 자리와 맞아떨어지는 경우가 많아 비슷한 자리는 혈자리 이름을 사용하고, 그 혈자리의 위치와 통증유발점, 방사통 그리고 기능에 대해서도 풀이해 두었다. 혈자리를 찾는 방법 중 눈썹, 발가락, 배꼽 등 신체의 기준점으로 찾는 방법이 있고, 자신의 손가락 치수를 재면서 찾는 방법이 있다. 여기서는 두 가지 다 사용을 했다. 손가락을 이용한 1치, 2치, 3치라는 단어는 엄지 넓이를 1치, 검지•중지•약지 손가락을 모았을 때 넓이를 2치, 검지•중지•약지•새끼손가락까지 모두 모았을 때 넓이를 3치라고 표현한다.

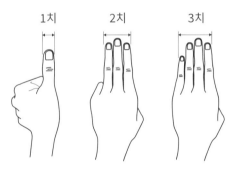

이 책의 목적은 누구나 아프지만, 누구나 아프지 않게 도울 수 있는 소박한 지식을 나누기 위함이고, 긴 시간과 큰돈으로도 해결하지 못하는 많은 사람들에게 간단한 해결 방법을 알려주려 함이다. 남이 나를 치료하는 것보다 내가 내 몸을 관리하는 게 빠르고, 정확하며, 가장 좋은 방법이라는 깃을 환기했으면 하는 바람이다.

그렇기 때문에 전문적인 의학 용어가 나오더라도 최대한 이해하기 쉽도록 풀어두어, 초등학생인 딸이 읽었을 때도 편하고 쉽게 다가올 수 있도록 노력했다.

아울러 모든 운동과 스트레칭은 집에서 간단하게 할 수 있는 것에 중점을 두고 있다. 예를 들어, 화장실에서 나올 때 배운 스트레칭은 화장실 갔다 나오면 꼭 생각이 난다. 코로나19로 이제야 홈트레이닝이 선풍을 끌고 있지만, 필자는 오래 전부터 많은 사람들과 가정 방문을 통해 만나면서 내가 사용하는 공간에서 배운 운동과 스트레칭의 각인 효과가 가장 강렬하고, 실생활에서 활용하기가 가장 수월하다는 것을 이미 체득했기 때문에 신경을 많이 쓴 부분이다.

근육교정이 선행되어야 함은 맞지만,결코 오래 받는 것을 권하지 않는다. 남이 나를 치료해 주는 것은 즉각적인 효과를 내긴 하지만 단기적인 현상일 뿐이다. 사람이 불편한 것이 없어지면 그 편안함과 좋은 기분은 얼마나 갈까? 오래 가도 반년을 넘기지 못 한다. 내가 관리하지 않으면 몸은 금방 원래 상태로 돌아가기 때문이다. 몸이 온전히 회복된 상태를 100%라고 하면 근육교정은 70~80%의 상태가 되었을때 멈추어야 한다. 나머지는 스스로 관리할 수 있는 동기로 작용할 약간의 불편함을 남겨두는 것이다. 그래야 내가 노력하는 만큼 몸의 컨디션이 오랫동안 유지되는 것을 경험하게 되고, 운동하는 습관이 생긴다.

비싼 돈 내고 개인 PT 받는 것을 누군가는 "돈 내고 운동하라는 잔소리 들으러 가는 것"이라고 우스개소리로 하기도 할 정도롤 대부분의 사람들이 이미 알고 있다. 스스로 운동할 자신이 없으니 돈을 내고서라도 의지하고 싶어지는 수동적인 삶을 살고 있음을 말이다.

몸 아프다고 운동한다고 평생 돈을 써서 해결하려고 하지 말자.

몸 고쳐달라고 운동시켜달라고 아껴둔 돈 쓰지 말고, 가족들과 시간을 보내고 소고기 구워먹으면서 소소한 행복을 나누는데 조금이나마 도움이 된다면 이 책의 목적은 달성했다고 생각된다.

스스로 내 몸을 잘 관리하고 제대로 사용하여 시간과 비용을 절약하길 기원한다.

1부

바른
체형의
기초

1장
내 몸
바로 알기

나는 왜 아픈 거지?

여성인 L씨는 50대가 되면서부터 무릎의 뻐근함이 좀 더 심해짐을 느끼게 된다. 처음 시작은 40대 중반이었는데, 예전엔 며칠 아프다가 견딜 만 했고, 조금 지나면 언제 불편했는지도 모른 채 그냥 지나가곤 했었다. 반백 년을 살았는데 어딘가 불편한 건 당연한 일이라 생각하고 버티다 불편함을 덜어보고자 병원에서 물리치료를 받기 시작했다. 물리치료를 많이 받지 않은 상태라 몇 번 받으니 생각보다 시원하고, 금방 좋아지는 듯했다. 완전히 좋아졌다고 느껴지진 않았지만 견딜만한 상태가 되었기에 곧 물리치료를 그만뒀다.

그렇게 잊힐만하면 아픈 게 몇 년 반복이 되다 보니, 뻐근함을 넘어 통증으로 느껴지게 되었고 같은 병원에서 꾸준히 물리치료를 받았지만, 이상하게도 전혀 좋아지지 않았다. 시간이 흘러 불편함은 좀 더 커지고, MRI를 찍어도 증상은 있는데 딱히 원인을 찾을 수가 없게 되자 불안함이 커져만 갔다. 그러다 주변에서 "같은 증상이있는데 100%

나았다"라며 병원을 소개해 주는 사람들이 나타난다. 그렇게 찾아다니기 시작한 병원은 어느새 병원 투어가 되고, 얻은 것이라고는 어느 병원은 친절하더라, 어느 병원은 약을 잘 쓰더라 등의 쓸데없는 정보들뿐이다.

　호전되지 않아 커져만 가는 불안과 고통 속에 있는 당신에게 시기적절하게도 희망의 메시지가 들린다. 무릎 주사 6회 정도 맞으면 통증이 없어진단다. 그렇다면 당신은 어떤 선택을 하게 될까? 내가 만난 의사가 몇 년이나 진료를 했는지, 몇 명의 환자를 만났는지에 대해 생각해 볼 겨를도 없이 하얀 가운에 대한 믿음으로 'Yes'를 답하게 된다. 주사와 약물 치료가 진행이 되면 어제까지만 해도 걷기 불편했던 무릎의 움직임이 수월하고, 몸이 가벼워진다. 회차가 거듭되니 통증은 완벽하게 사라졌고, 통증이 가라앉자 그동안 못 했던 여러 가지 일을 하게 된다. 집 안 청소도 하고 그동안 못 만났던 사람들과 만나기도 하고 등산 약속을 잡기도 한다.

　이렇게 6개월쯤 시간을 보내니 슬슬 다시 아파지기 시작한다. 이쯤 되면 보통 무슨 생각을 하게 될까? 지난번 '완치'했던 병원을 다시 찾아가게 된다. 이번엔 물리치료 하는 과정을 거칠 필요 없이 주사와 약물치료를 바로 시작한다. 이런 치료를 반복하게 되면 간격은 점점 더 짧아지고 횟수는 늘어나는데 결국 더 강한 통증을 불러오게 된다. 통상적으로 연골과 주변 조직의 약화를 초래하게 되어 인공관절이라는 최악의 선택으로 몰아가게 된다.

　아픈 부위는 다르지만, 상황은 대부분 비슷한 경향을 갖는다. 우리 몸의 통증은 외부의 큰 충격이 없는 한 처음부터 강하게 찾아오는 경우가 많지 않다. 운동 중 부상, 교통사고, 낙상, 물리적인 충격 등 내가 인지하고 있는 완벽한 통증 유발 행위에 대해서는 쉽게 기억하지만, 어느 순간부터 천천히 시작된 통증의 시발점은 거의 기억하기가 어려운 게 우리 통증의 특징이다.

시작하며 던졌던 질문은 우리의 몸이 불편하거나 통증이 일어났을 때 스스로에게 물어야 하는 근본적인 질문이다. 이 한 문장의 질문으로 내가 몸을 쓰는 생활 패턴과 자세, 습관과 환경을 다시 한번 더 깊이 있고, 자세히 살펴봐야 한다.

깊이 있게 관찰한다면, 질문에 대한 답은 충분히 짐작하게 될 것이다. 아니 정확하게 알 수 있다. '나는 왜 아픈 거지?'에 대한 질문과 답에 대한 의미를 찾아가는 과정에서 정답은 내 안에 있다는 것을 먼저 인지해야 한다. 이제 본격적으로 아픔의 다른 이름 통증이라는 것이 우리 몸과 일상생활에 찾아왔을 때 일어나는 반응과 대응해야 하는 방법들에 대해서 알아보기로 하자.

통증은 왜 시작되는가?

사람은 태어나는 순간부터 죽음을 맞이할 때까지 매초마다 수없이 많은 감정과 감각을 느끼며 살아간다. 감정은 감각을 지닌 수용체가 뇌에서 작용하는 반응 중 하나이다. 수많은 감정을 느끼게 하는 많은 감각 기관에서 가장 불쾌하게 느끼는 것은 통증일 것이다.

통증은 조직의 손상이 일어나고 있거나, 일어나려고 할 때 위험을 감지하는 방어적인 기전이다. 문지방에 발가락을 찧거나, 손가락에 가시가 박히거나, 빌에 쏘이는 화학적 반응 또는 욱신거림, 쑤심, 찌르는 느낌, 타는 느낌, 저린 느낌 등 다양한 표현으로 말 할 수 있지만 그 끝은 단 하나의 단어 "아프다"로 통일된다.

의대에서는 대부분 통증이 염증 반응에 의한 조직 손상의 징후일 수 있기 때문에 반드시 원인을 찾아야만 한다고 배운다. 하지만 실제로 환자들이 한 경험은, 몸이 아플 때 병원에 찾아가 오랜 기다림 끝에 의사를 만나 의사와 이야기를 나누지만, 채 3분도 되지 않아 진료를 마치고 바로 원인을 찾는 검사를 하기위해 병원 구석구석으로 여기저기 끌려 다니게 된다.

우리가 알고 있는 암이나 성인병처럼 원인과 치료 방법을 명확하게 알 수 있는 질병들을 제외하고 병원이나 한의원에서 수없이 많은 검사를 통해서 결과로 나오는 병명 중 대부분은 '염'이라는 단어가 붙는다. 염(炎)은 한자에서 보듯이 불이 위아래로 두 개나 붙어 있어 불타듯이 굉장히 괴롭고, 고통스러운 증상을 의미한다. 그러나 염이라는 단어는 통증이라는 결과물은 존재하지만, 원인은 정확하게 알 수 없는 모호한 상태를 포장하기 가장 완벽한 단어라고 볼 수 있다.

통증을 유발하는 손상의 종류는 크게 세 가지로 나눌 수 있는데, 외부 충격에 의한 충돌, 잘림, 압착, 비틀 등의 기계적 손상, 극단적인 온도 차에 의한 열 자극 손상, 손상된 조직에서 방출되는 화학물질을 포함하는 자극에 의한 화학적 손상이 있다.

이런 손상이 일어나면 생명의 위협을 느끼기도 하는데, 이를 벗어나기 위해 중요한 것은 바로 통증을 느끼는 속도이다. 교통사고처럼 충돌이나 찢김 등 기계적 손상이나 화상과 같은 열에 의한 손상에 대한 통각수용기는 수천개 이상으로 조밀하게 모여있는 A-delta 신경 섬유로 초당 20m의 빠른 속도로 신호를 전달한다. 반면 손상된 조직에서 분비되는 화학물질 반응은 작은 C 신경 섬유로 초당 2m의 속도로 전달된다. 빠르게 찾아오는 통증 반응은 날카롭고 찌르는 듯한 느낌으로 처음엔 국소적으로 발생을 한다. 이후 시간의 경과에 따라 느리게 찾아오는 통증은 둔하고, 뜨거우면서 욱신거리는 느낌으로 그 위치가 불분명해서 어디가 아픈지에 대한 답을 얻기 어려울 때가 많다. 처음 통증이 오고 다음에 찾아오는 통증이어서 오랜 시간 동안 지속되고 불쾌한 느낌으로 남는다.

　　여기서 한 가지 의문이 생긴다. 통증은 신이 내린 저주일까? 수많은 보통의 사람들은 통증이 찾아오게 되면 그 통증을 안 느끼기 위해 통증의 반대 방향으로 몸을 틀어 조금이라도 통증을 줄이기 위한 자세를 취한다. 하지만, 통증이 몸 안에 존재하지 않는다면 더 큰 재앙에 직면하게 된다. 사고로 인해 뼈가 부러지는 즉각적인 통증 또는 곤충에게 물린 염증성 통증 등 모든 통증의 목적은 똑같다. 바로 인체를 보호하기 위함인 것이다.

　　우리는 통증 감각 덕분에 앉는 자세를 고쳐 앉게 되고, 자다가 본능적으로 뒤척이게 된다. 아울러 눈꺼풀을 깜빡거리는 행동들 역시 몸을 보호하기 위한 무의식의 행동에서 비롯된 것이다. 이런 통증이 없다면 오히려 삶의 질은 더욱 바닥으로 떨어질 것이다. 통증을 느끼는 것 자체는 고통스럽지만, 통증 감각이 없어지면 삶이 어떻게 변할지 간단한 예를 들어보자.

　　눈을 계속 뜨고 있는데 눈이 아프지 않다면, 눈을 깜빡거리지 않아 각막의 손상이 오게 되고, 곧 안구의 손상으로 이어져 실명이라는 결과를 초래할 수 있다. 감각이 없어지는 증상이 나타나는 당뇨병 환자들은 어떤가. 혈당이 과도하게 높아지면 신경이 손상돼서 접촉 시,

촉각, 온도, 기본적인 감각 자체를 상실하게 되는데, 이는 상처가 있다는 것을 감지하지 못하고 치료의 필요성도 못 느끼게 된다.

우리에게 불편함과 고통의 이름인 통증이라는 감각이 우리 몸에 존재하지 않게 되면 몸에 수없이 많은 문제를 야기 시키고, 불행하게도 성적인 오르가슴 역시도 통증 감각이 없으면 느낄 수 없게 된다. 가장 불편한 이름인 통증은 알고보면 나와 함께하면서 내 몸을 보호하고 있는 것이다. 이런 통증의 원인을 정확하게 알지 못하고 없애기에 급급하다면 우리 삶의 질은 바닥으로 떨어져 결국 나와 내 가족은 물론 생활 전반에 악영향을 미치게 될 것이다.

근육 문제에서 시작된 통증의 특징을 살펴보면 처음엔 몸의 어느 한 곳부터 아프기 시작하다가 아픈 곳의 위치에 변화가 오면서 통증의 강도는 더욱더 강해진다는 것이다. 병명으로 나오지 않는데 나는 계속 아픈 상황이 지속되면 점점 더 심적으로 위축되고 육체적, 사회적 고통이 증폭된다. 그러다 보면 통증을 느끼지 않는 방법을 찾아 헤매게 되는 것은 심적으로는 십분 이해한다.

그러나 이제는 통증을 다시 보길 바란다. 통증은 줄이거나 없애서 안 느껴야 하는 적이 아니라, 정확한 원인을 찾아내고 달래서 죽을 때까지 함께 가야 하는 나의 동반자라고!

건축물의 핵심은 골조, 인간 몸의 골조는 뼈

뼈가 한 번 부러진 경력이 있는 사람은 부러진 경험이 없는 사람보다 다시 부러질 확률이 5~10배로 높게 나타난다. 또 나이에 따라서도 젊었을 때 부러진 사람보다 노년에 부러진 사람이 그 위험도의 차이가 높다. 일반적으로 고관절(엉덩이) 주변 골절이 발생하면 1년 이내 사망률이 평균 20%이지만, 80세 이후 골절이 발생할 경우 사망률이 2배까지 치솟는 수치를 나타낸다. 생존하더라도 골절 전으로 돌아갈 수 있는 확률도 25% 정도로 낮다.

그렇다면 뼈 관리는 어떻게 해야 할까? 성인의 뼈는 평균 206개로 건물로 비유하자면 건축물의 골조의 역할을 한다. 철근의 역할을 하는 콜라겐과 하중을 견디게 하는 시멘트 역할의 칼슘-인산염으로 구성되어 있으며 4가지의 중요한 역할을 하고 있다.

첫째, 몸 안의 장기를 보호하는 역할을 한다.

둘째, 중력이 당기는 힘에 저항하여 체중을 지탱하는 힘을 준다.

셋째, 뼛속에 있는 골수가 여러 종류의 혈구를 생성한다.

넷째, 관절을 통해 몸이 움직일 수 있도록 동작을 만들어낸다.

성인의 뼈는 206개인데, 아이가 가진 뼈의 개수는 성인과 같을까? 정답은 '아이의 뼈가 성인보다 더 많다'이다. 신생아의 경우 유치를 포함하여 350개 정도로 보고 있다. 같은 사람인데 왜 뼈의 개수가 차이가 나는지는 갓 태어나 성장하는 과정에 그 실마리가 있다. 머리를 가누고, 앉고, 기고, 짚고 서서 걷기까지 아이들은 많은 실패를 경험한다. 아이가 걸음마를 할 때 어른이 보면 매우 불안하고 두렵기까지 하다. 엉덩이를 찧는 모습을 보면 간담이 서늘해질 정도로 얼마나 위험해 보이는지 아이를 키워 본 사람이라면 다 공감할 것이다.그런데 아이는 수없이 실패하고 넘어져도 엉덩이를 다치거나 크게 울지도 않는다. 기저귀가 폭신해서 그럴까?아이의 뼈는 유연한 연골조직으로 구성되어 있는 경우가 많은데, 성장을 하면서 점점 더 단단해지고 여러 개의 뼈가 하나로 합쳐지는 과정을 거치게 된다. 그래서 성인이 되면 유아 때보다 뼈의 개수가 많이 줄어들게 되는 것이다. 단적인 예로 지질탐사를 하는 도중 뼈가 발견됐을 때 이 뼈의 주인이 몇 살이었는지 판단하는 가장 쉽고 빠른 기준은 뼈의 개수이다.

성인의 뼈는 굉장히 강한 구조로 되어 있다. 뼈의 강도는 콘크리트보다 더 강하고, 지구상에 존재하는 어떤 물질보다 중량 대비 강도가 높다. 가볍지만 단단하고 강한 뼈의 비밀은 내부에 있다. 뼈를 구성하는 골소강(lacunae, 骨小腔)의 벽은 종이처럼 얇으며, 뼛속에 작은 구멍들 안에 뼈세포가 들어 있는 게 특징인데, 이 구성 성분 중 칼슘과 인이 함유되어 매우 단단하다. 조개껍데기와 같은 성분으로, 사람의 힘으로 조개껍데기를 쉽게 부술 수 없는 것처럼 뼈도 쉽게 부술 수 없는 구조이다. 허벅지 뼈 같은 경우 우리가 걸을 때 체중의 3배 정도의 하중을 견딜 수 있을 정도이다. 체중이 68kg이라면 운동 시 보통 204~408kg의 압력을 견딜 수 있다. 거기에 더해 건강한 사람의 경우

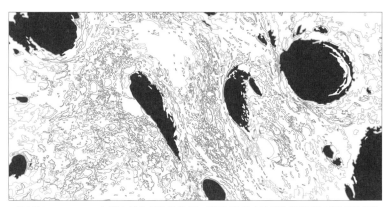

골소강(Lacunae, 骨小腔). 뼛속 작은 구멍 안에 있는 뼈세포에 칼슘과 인이 함유되어 매우 단단하다

는 7년마다 모든 뼈세포를 완전히 다시 만들게 된다. 덕분에 인간의 뼈는 단단할뿐 아니라 환경에 대한 적응력도 뛰어나다.

그럼에도 불구하고 우리는 뼈에 관한 병명을 자주 접하게 되는데, 바로 골다공증과 퇴행성 관절염이다. 이에 대해 좀 더 알아보자.

바늘구멍이 댐을 무너트린다, 골다공증

골다공증(osteoporosis, 骨多孔症)은 한자 풀이처럼 뼈에 구멍이 많이 생겼다는 뜻이다. 뼈의 밀도와 미네랄 함량이 감소하는 이유는 새로 생기는 뼈보다 파괴되는 뼈가 많기 때문이다. 이는 보통 30세쯤부터 시작되는 현상이다. 나이가 들면서 골밀도가 낮아지고, 탄력의 손실이 발생하는데, 이것을 막는 것은 근본적으로 불가능하다. 골다공증이 무서운 이유는 몸의 근간이 흔들리는 것이기 때문이다. 몸을 건물에 비교하면 건물이 지어질 때 기초가 되고 제일 깊은 곳에서 버텨주는 골조가 뼈의 역할을 하는데, 뼈의 구성 성분이 철근이 아니라 각목으로 바뀌었다고 생각하면 쉽게 이해가 될 것이다. 얼마 전 중국에서 다 지어진 아파트가 통째로 넘어진 사건이 있었는데, 건물이 넘어지고 골조를 보니 철근이 아니라 나무를 골조로 넣어 만든 부실 공사였다.

몸 안에서 전체의 힘을 받으면서 몸을 지켜줘야 하는 뼈에 구멍이 생기는 일은 평균적으로 남성보다 여성에게서 더 많이 발생한다. 난소에서 생성되는 호르몬인 에스트로겐은 골밀도를 유지해 주는 역할을 하는데, 여성들은 폐경기를 지나면서 에스트로겐의 감소로 골밀도가 낮아져 골다공증이 많이 발생한다. 또한 마르고 골격이 왜소한 여성은 나이가 들면서 골밀도가 감소할 확률이 높다.

골다공증이 무서운 이유는 뼈가 쉽게 부러지는 상황에 놓이게 되다는 것이다. 생활과 활동 전체를 버텨줘야 하는 뼈가 약해지는 것은 문제의 시발점이 아니다. 골다공증이 왔다는 것은 그 이전부터 몸이 약하거나 활동을 거의 하지 않고 앉아만 있었던 경우 혹은 여러 가지 질병의 후유증이나 관리를 하지 않음으로써 발생할 수 있는, 다시 말해 다른 질병보다 순서가 늦은 질환 중 하나이다.

골다공증 치료와 예방을 위한 방법으로는 충분한 칼슘(1500mg)과 비타민D(400~800IU)를 섭취하고, 30분씩 주 4회 이상 빨리 걷기나 기초 체조부터 시작해서 아령 들기, 요가 등 균형 감각을 키울 수 있는 운동을 하도록 권한다.

공부 잘하는 아이를 만들기 위해 아이들에게 선행학습을 시키는 경우가 많다. 건강한 어른으로 남기 위해서 선행되어야 할 게 기초 체력과 근력을 키워 몸을 버텨주는 역할을 할 수 있도록 반드시 노력이 필요하다. 뼈대 있는 집안으로 남으려면, 내 뼈 관리부터 잘해서 지켜내야 한다. 그러면 건강도 같이 따라오고, 건강이 회복되면 가정의 화목과 모든 일이 순탄하게 풀리는 것은 당연한 순서이다.

정확하게 알면 힘들지 않은, 퇴행성 관절염

퇴행성 관절염은 골관절염이라고도 하는데, 별다른 염증이 없음에도 관절의 연골이 서서히, 고통스럽게 퇴화하는 질병이다. 관절은 허용하는 가동범위 안에서 안전하게 사용하는 것이 가장 오랫동안 건강한 상태를 유지할 수 있는 방법이다. 퇴행성 관절염은 부상이라는 변수만 없다면 골다공증과 달리 남성과 여성이 비슷한 비율로 나타난다. 남성의 경우 척추, 엉덩이, 무릎 부분에, 여성의 경우 손과 무릎에 많이 생기는 편이다.

관절염 같은 경우 엔진의 윤활제 역할을 하는 엔진오일이 바닥난 상태에서 시동을 켜고 과속하는 것과 같은 상황이다. 관절면을 서로 닿지 않게 보호하는 연골이 마모되면 윤활제 역할을 할 수 없어 뼈 표면끼리 닿는 현상이 일어나게 되므로 몸은 이런 현상을 방지하기 위해서 연조직을 자극해 염증을 유발한다. 최근까지 관절염은 연골의 노화로 인해 자연스러운 마모가 발생해서 생기는 정상적인 과정이라 생각해 왔다. 하지만, 관절염의 요소 중 노화가 많은 비중을 차지하지만, 주원인은 아니라는 주장들이 나온다. 오히려 비만, 부상, 유전적인 요인과 기타 질병으로 인해 관절염 발생이 높아진다는 의견이 더 설득력을 얻고 있다.

퇴행성 관절염을 해결하기 위해 흔히 사용하는 방법은 세 가지 정도로 귀결되는데, 아세타미노펜이나 비스테로이드성 항염증성 약물을 이용해 통증을 완화하거나 관절 사용을 줄이거나 근육을 향상시키는 운동을 하는 것이다.

세 가지 방법 중 골다공증과 퇴행성 관절염을 해결하기 위해 가장 좋은 방법은 내가 버틸 수 있는 몸무게를 유지하기 위해 나의 무게를 지탱할 수 있는 만큼 운동을 하는 것이다. 운동을 하지 않고, 건강해야지 하는 것은 전교 꼴등이 공부하지 않고 잘 찍어서 서울대 가야지 하는 것과 같다. 인생의 모든 천운을 다 써서 서울대를 들어가도, 공부를 해 본 기억이 없기 때문에 결국 졸업은 불가능할 것이다. 약물 치료나 타인이 해주는 치료로 단기간에 통증이 사라지고 건강해졌다고 하더라도 내 노력으로 땀을 흘리지 않으면 또 아프기 시작하는 데는 그리 긴 시간이 걸리지 않을 것이다.

성인이 되면서 뼈는 단단해지고, 견뎌내야 하는 무게는 굉장히 커진다. 뼈는 신경과 혈관들을 포함한 섬세하고 견고한 조직으로 구성되어 있지만 스스로 움직일 수 없다. 우리 몸에는 뼈만 덩그러니 서 있는 게 아니다. 600개 이상의 근육, 뼈와 근육을 연결해주는 건(힘줄), 뼈와 뼈를 이어주는 인대가 유기적으로 결합해서 몸을 구성해줬을 때 안정성을 찾아 움직임이 가능하다.

근육교정은 근육의 안정성을 높이고, 바른 체형을 유지하도록 도와서 몸 안에 있는 모든 관절을 정상적인 범위 안으로 끌어올 수 있다. 근육교정이 되었다면 목표량을 높여서 운동해 보자. 다시는 아프지 않을 수 있다. 근육교정은 건물을 지을 때 기초 공사를 하는 것과 같다. 높은 건물을 짓기 위해서는 깊이 땅을 파야 한다. 기초가 튼튼해지면 아름답고 훌륭한 건물을 지을 수 있다. 우리 몸은 운동만이 아름답고 탄탄한 몸을 만들 수 있는 유일한 방법이며, 아프지 않고 건강한 관절을 유지할 수 있게 하는 가장 최고의 방법이다.

이제 뼈를 둘러싼 근육은 어떻게 형성되어 있고, 언제 어떻게 왜 아픈지, 어떻게 써야하는지 이런 궁금증들을 풀어가 보자.

여기서 잠깐!
지루한 분들을 위한 신화로 보는 용어

건이라는 이름도, 인대라는 이름도 들어봤을 것이다. 무엇이 다를까?

건(tendon)은 뼈와 근육을 연결하는 조직의 이름으로 제일 유명한 부위는 아킬레스건이다. 그리스 신화에서 아킬레우스가 지녔던 유일한 약점인 부분으로 발꿈치에서 종아리까지 붙어 있는 발뒤꿈치 힘줄이다. 어머니인 테티스가 아킬레우스를 불사신으로 만들기 위해 스틱스강에 발뒤꿈치를 잡고 강에 담갔기 때문에 강물에 담그지 않은 발목이 약점으로 남았고, 이에 트로이 전쟁에서 아킬레우스가 죽는 데 결정적인 영향을 미친 곳이다. 이 신화로부터 아킬레스건이라는 이름이 붙은 것이다. 앞으로는 헷갈릴 때는 이 신화를 떠올리며 연상해보자. 구분하기 쉬울 것이다.

인대(Ligament)는 뼈와 뼈 사이를 연결하는 강한 섬유성 결합 조직이다. "발목 인대가 늘어났어." 와 같이 우리가 흔히 쓰는 문장에 자주 등장한다. 인대는 주로 관절에 위치하며, 관절의 안정성을 높이는 역할을 한다. 인대가 손상되면 부분 탈구나 탈구가 일어날 수 있고, 더 손상이 진행되면 연골 손상과 퇴행성 관절염이 진행될 수 있다.

예쁜 얼굴도, 바른 자세도 시작은 근육

우리 몸에서 골격을 움직이는 골격근은 근세포, 근막 그리고 다양한 신경과 혈관으로 구성되어 있다. 근육의 최소 단위인 근섬유는 수백 개에서 수천 개의 근원섬유를 포함하고, 이 근원섬유는 실을 묶어 놓은 것처럼 연결된 모습을 하고 있다. 나이가 들면서 근육은 커지거나, 작아질 수 있지만 근원섬유 자체는 변화하지 않는다. 근원섬유는 더 가는 미세섬유 다발로 구성되어 있는데, 미세섬유 다발을 화학물질이 자극하면 기전에 따라 미세섬유 다발이 움직이면서 근원섬유를 자극하여 전체 근원섬유가 짧아지게 되고, 이 수축 운동을 통해 근육이 움직이게 된다.

여기서 재미있는 사실은 우리가 아무리 힘을 써도 근원섬유의 30~35%의 힘만 사용할 수 있다는 점이다. 이는 근육이 가장 최적의 상태에서 힘을 전달할 수 있는 비중이다. 차에 깔린 아이를 구하려고 차를 들어 올렸다는 엄마의 이야기가 있다. 이런 위급한 상황에 처한 경우 모든 근원섬유를 자극해 한 번에 힘을 낼 수 있는 특수한 상황을 만들어 내는 것이다. 사람들은 의식적 혹은 자발적으로 근육의 힘을 극대화 시키는 것은 절대 불가능하지만, 극한의 스트레스 상황이나 생존이 걸린 문제에서는 몸의 모든 근육을 사용해 초인적인 힘을 낼 수 있는 것이 근육의 잠재력이다. 한 번에 엄청난 힘을 폭발시킬 경우 근육과 뼈가 분리되는 손상이나 근육 파열과 같은 대가를 치르겠지만, 생명을 담보로 한 상황에서 우리의 근육이 그 일들을 수행해내는 사례는 충분히 찾아볼 수 있다.

근조직은 3가지 물리적인 특성이 있다.

첫째, 근조직은 줄무늬의 결을 가지고 있다. 다듬어지지 않은 나무를 쪼개면 몇 갈래로 갈라지는 결을 볼 수 있는 것처럼 근육도 결을 갖고 있다. 이러한 근 힘살의 특징은 특정 방향으로 향하는 근섬유 다발에 의해 생성된다.

둘째, 근육은 이완과 수축이 가능하다. 근육이 이완됐을 때 부드러운 느낌이 나며, 수축됐을 때는 단단한 느낌을 가질 수 있다.

셋째, 근섬유의 방향이 존재한다. 근육을 촉진해 보면 가로로 뻗은 느낌이나 세로로 뻗은 느낌 혹은 대각선으로 놓여 있는 느낌을 가질 수 있다. 예를 들어 척추를 양쪽에서 붙잡는 척추기립근을 만져보면 수직 방향의 섬유를 느낄 수 있다.

근육이 우리 몸에서 하는 기능을 보면, 몸의 피를 저장하고, 몸에 있는 혈당(글리코겐의 형태)을 저장하며, 온도 조절을 통해 체온을 유지한다. 그리고 외부의 물리적 충격이나, 외부의 환경으로부터 뼈와 장기를 보호하는 완충작용을 하고 있다.

근육의 움직임은 대부분 하나의 그룹으로 작용하는 경우가 많다. 발을 내디딜 때는 한 번에 40개의 근육 운동을 통해서 움직일 수 있게 된다. 이렇게 여러 개의 근육이 한 번에 움직이기 때문에 정확하게 통증을 알아차리는 게 어떨 때는 어려울 때가 많다. 아니 보통은 통증이 일어나는 원인이 전혀 다른 곳에 있는 경우도 있다. 이렇기 때문에 생겨난 용어가 통증유발점(trigger point)과 방사통(radiating pain)이다. 통증유발점은 교과서적인 표현에 따르면 압박 또는 기타의 자극에 의하여 특수한 감각이나 증상을 일으키는 신체 내의 특수한 점인데, 말 그대로 통증을 일으키는 원인이 되는 지점이다. 통증유발점만 빨리 찾아내면 거의 모든 통증에서 최대한 빨리 자유로워질 수 있다.

통증유발점이 원인이라면 그 결과물은 방사통이다. 방사통은 통증을 일으키는 지점으로부터 퍼지거나 전달되는 감각이다. 2011년 3월 11일 14시 46분 일본 도호쿠 지방인, 미야기(宮城)현 오시카(牡鹿) 반도 동남쪽 130km 해저 약 24km 지점에서 규모 9.1의 지진이 발생했다. 이 지진 때문에 동일본은 쓰나미가 발생해서 원전이 무너지고, 2만 여명의 사망자와 실종자가 발생했다. 여기에 방사통과 통증유발점을 대입해 보자. 오시카반도 동남쪽 130km 해저 약 24km는 통증유발점, 지진으로 일어난 해일인 쓰나미는 방사통이다. 안타까운 사건이지만 강의할 때 보면 다른 어떤 예보다 방사통과 통증유발점을 쉽게 이해하는 데 도움이 된다.

다음 장 부터는 내 몸이 말하는 통증을 어떻게 받아들이고 대처해야 하는지 더 들어가 보자.

2장
몸의 기둥,
척추 바로 세우기

척추의 구조와 그 역할

우리 몸의 중심이 되는 것은 바로 척추관절이다. 척추는 왜 중요할까? 결론부터 말하면 우리 몸 전체를 지탱해주는 기둥의 역힐을 하기 때문이다. 위로는 지붕에서 내려오는 하중을 지탱해주고 아래로는 바닥면과 이어주는 기둥의 역할을 하는 중요한 구성요소인 것이다. 척추관절의 구성을 보자면 사람의 머리뼈로부터 꼬리뼈까지 곧게 뻗어 있는 목뼈 7개, 등뼈 12개, 허리뼈 5개 총 24개의 뼈마디를 척추(vertebral column, spine)라고 부른다. 이렇게 24마디의 척추는 척수와 척수신경을 보호하고 몸무게를 지탱하며, 단단하지만 굉장히 유연한 구조를 갖고 있어 머리부터 몸을 돌려주는 축의 역할을 하게 된다.

척추는 척추사이원반(intervertebral disc)에 의해 분리가 되는데 흔히 디스크라고 불리는 이 돌기사이관절 덕분에 유연성을 증폭시키며, 위에서 내리꽂는 압박으로부터 버틸 수 있는 쿠션의 역할을 하게 된다. 디스크는 타이어처럼 굉장히 질기고, 탄성이 강한 조직이나 머리카락 굵기의 미세한 바늘이라도 디스크를 측면에서 찌르게 되면 이내 손상을 넘어 괴사까지 갈 수 있는 예민한 조직이기도 하다.

척추 형태의 가장 중요한 포인트는 등 뒤에서 전면으로 봤을 때 기둥처럼 위에서 아래로 곧게 뻗은 일자 형태여야 한다. 하지만 옆에서 봤을 때는 다르다. 굽이(curvature, 휘어서 구부러진 곡선)가 형성되어 있어야 한다. 이 굽이는 몸의 유연성과 충격 흡수에 도움이 된다. 사람이 잉태되어 태아기에 태반 안에서 발달하는 굽이를 일차굽이라고 한다. 즉, 태아가 엄마 뱃속에서 웅크리고 있는 자세를 의미한다. 그렇기 때문에 앞으로 굽어져 있는 활 형태의 등 모양이 형성되는 것이다. 이후 이차굽이는 목과 허리의 굽이를 의미하는데 영아가 목을 바로 세우기 시작하면서 목 굽이가 시작되고, 똑바로 앉고 서서 걷기 시작하면서부터 허리 굽이가 명확해진다. 옆에서 봤을 때 허리는 배 쪽으로 들어가 있는 형태, 등은 태아 때 형성되었던 활 모양의 등 쪽으로 볼록한 형태, 목은 허리와 같은 방향으로 전방을 향해 굽이가 형성되는 것이다.

이 굽이는 우리 몸에 있어서 매우 중요한 역할을 한다. 이 굽이의 존재는 지구의 중력으로 누르는 힘을 흡수하는 역할을 한다. 스프링의 구조를 연상하면 좋을 것이다. 스프링의 굽이가 존재하므로 탄성이 생기는 것처럼 척추에서도 굽이가 존재하면서 머리 위에서 내리꽂는 중력의 압박을 버텨내는 것이다. 흔히들 S라인이라고 하는 말은 볼륨감이 있는 몸매를 지칭할 때 사용하는데, 이는 옆에서 봤을 때 유독 심한 곡선을 보이는 경우를 몸매가 좋다고 착각하는 경우가 많기 때문이다. 또 서 있는 것을 등 뒤에서 봤을 때 허리 모양이 S자로 굽은 형상인 경우도 있다. 두 케이스 다 좋은 현상은 아니다.

활도 아닌데 옆으로 휘어진, 척추옆굽음증

뒤에서 봤을 때 등 모양이 S자로 굽어있는 경우를 척추옆굽음증 즉, 척추측만증이라고 한다. 척추옆굽음증(scoliosis, 척추측만증)은 척추뼈의 돌림과 비틀림을 동반하는 비정상적인 옆 굽음이다. 척추는 무슨 일이 있어도 뒤에서 봤을 때 위에서부터 아래로 기둥처럼 곧은 형태를 유지해야 한다. 하지만, 척추옆굽음증은 뒤에서 봤을 때 S자 형태로 몸의 변형을 확인할 수 있는 증상이다. 장시간 앉아서 생활하고, 스마트폰을 손에서 떼지 않는 현대를 살아가는 사람들에게 측만증의 유병률은 급증하는 추세다.

측만증 수술은 1914년 Hibbs에 의해 최초의 척추 후방유합술을 시작한 이후 많은 환자가 수술을 해왔지만 지금까지도 원인이 명확하게 밝혀지지 않았다. 외형석인 압박이나 유선적 요인 혹은 노인성(퇴행성) 변화로 인한 측만증을 제외하고, 초경을 시작하는 사춘기 여성의 척추에서 발견되는 경우가 많은 비중을 차지한다는 것을 근거로 자연적으로 발생하는 측만증은 호르몬 밸런스의 붕괴로 발생하는 근육질환 중 하나로 보는 가설이 있을 뿐이다.

평소 허리가 자주 아프다고 하는 청소년 자녀를 둔 부모라면 척추옆굽음증을 맨눈으로 가장 간단하게 확인하는 방법이 있다. 먼저 아이와 마주보고서 차렷자세로 똑바로 서게 한 후, 앞으로 숙여 손바닥이 땅에 닿을 수 있도록 90°로 숙이게 한다. 고개를 숙인 상태에서 뒤나 앞에서 볼 때 예쁘게 커브가 형성돼 있으면 정상적인 척추 모양으로 생각할 수 있고, 커브의 모양이 불특정적으로 튀어나와 있다면 척추옆굽음증을 의심할 수 있다. 척추옆굽음증이 있는 경우 특이한 점은

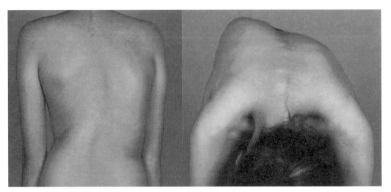

척추옆굽음증. 고개를 숙인 상태의 커브 모양이 다르게 튀어나오는 것을 확인할 수 있다

날갯죽지 부분 중 한쪽이 튀어 올라와 있다는 것이다. 이는 단순히 외형상 비정상적으로 굽어 보이는 것만의 문제는 아니다. 위의 그림을 보면 상부 등 쪽이 오른쪽으로 기울고, 왼쪽에서 오른쪽 방향으로 몸의 뒤틀림이 생긴다. 하부 등 쪽은 왼쪽으로 기울어져 있고 오른쪽에서 왼쪽 방향으로 몸의 뒤틀림이 생기게 되는 것이다.

척추가 단순히 S자 형태로 휘어 있다면 반대 방향으로 자세를 고치면 쉽게 곧은 기둥 모양으로 변형될 수 있겠지만, 상부 등과 하부 등의 상충되는 뒤틀림 때문에 척추옆굽음증이 생겼을 때 의식적으로 바로잡기는 어렵다. 상당수의 사람들이 굽어져 있거나 틀어져 있으면 반대로 틀거나 반대로 굽히는 노력을 하면 바로 펼 수 있을 거라고 생각하게 되는데, 안타깝게도 사람은 종이인형처럼 접었다 폈다 해서 척추를 바로 세울 수 없다. 그림에서 보여지듯이 우리의 몸은 바닥에 붙어 있는 2D가 아니라 입체적으로 서 있는 3D 형태이기 때문이다. 틀어짐과 굽이는 어느 한 방향으로 나타나는 게 아니라 토션(torsion, 비틀림)이 생겨서 정확한 방향이 아니면 틀어짐과 굽이가 더욱더 증폭되고 가

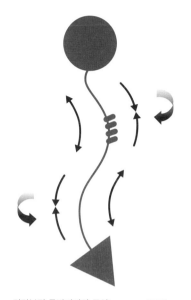

머리부터 골반까지의 토션(torsion, 비틀림)

속화되어 난감한 상황에 이른다. 즉, 내가 생각하는 바른 자세로 어느 한 방향으로만 몸을 틀어서 유지하게 되면, 척추의 앞뒤, 혹은 위아래 한 방향은 맞출 수 있겠지만, 전체적인 척추의 비틀림은 맞출 수 없을뿐만 아니라 더 커지게 되는 것이다. 이는 입체적인 비틀림이 존재하기 때문에 반드시 비틀림을 잡으며 척추의 올곧은 방향을 잡아야만 기둥처럼 바른 형태로 세워질 수 있는 것이다.

척추옆굽음증인 경우 현대 의학에서 가장 많이 활용하는 치료 방법은 무엇일까? 척추를 측면에서 밀어주는 역할을 하는 보정기 착용 방법을 선호하고 있다. 보정기의 착용은 비수술 방법으로 속도는 느리지만 그나마 안정적인 방법 중 하나이다. 하지만 신체 활동을 제한시키고, 외부 활동에 불편함을 초래하는 단점이 있다. 다른 방법은 극단적이지만 가장 빠른 방법으로 수술을 권한다. 하지만 수술의 경우 척추옆굽음증으로 인해 생명의 위협을 받을 때만 시행해야 한다. 해외 연구에 따르면 척추옆굽음증 수술 후 30~35%가량의 사람들이 만성 통증에 시달리고 있고, 통증 때문에 풀타임 근무가 어려우며, 대부분 급격한 체력 저하를 경험한다는 것이다. 이는 척추를 핀으로 고정해서 척추의 바른 정렬을 맞추었기 때문에, 정상인보다 동작에 많은 제한이 발생하기 때문이다. 모든 수술이 마찬가지지만 섣부른 판단으로 수술을 진행할 경우 돌이킬 수 없는 부작용이나 실패 시 척추 관절이 부러지는 위험이 동반된다. 수술보다 운동과 바른 자세를 통해 통증을 줄이면서 최대한 곧은 허리를 만들어 가는 것이 안정된 몸을 유지하는 데 도움이 된다. 이런 운동과 자세는 본인의 노력과 의지 없이는 누구도 도움이 되지 못한다는 것을 명심해야 한다.

10대 중반 사내아이를 자녀로 둔 고객이 있었다. 처음 상담 했을 때, 아이의 상태가 심각했는데 왜 그대로 방치했는지 궁금했다. 알고 보니 거래처 사장님의 동생이 물리치료사인데 가정 방문을 통해서 아이와 놀이치료 운동을 한 지 5년이 됐다고 한다. 회당 10만원씩 주 3회 방문에도 불구하고 방치한 것과 같은 상태라니 도저히 상상도 못할 일이 벌어진 것이다. 아이의 틀어진 각도는 점점 더 심해지고, 대안이 없으니 지인의 소개로 필자에게 상담을 하게 된 것이다.

나는 아프고 힘들어도, 내 자식 혹은 내 부모는 빚을 내서라도 아프지 않게 하고 싶은 게 부모의 마음이라지만, 병원 치료는 병원 치료대로 받고, 근육 발달에 도움이 되고자 집에서 놀이치료 운동을 했던 것인데 돈은 어마어마하게 들어가는데 효과는 없고 답답하기만 했을 것이다. 오랜 시간의 치료에도 불구하고 왜 호전되지 않았을까 하는 모든 의문은 아이와 처음 운동을 시작한 날 풀렸다. 그동안 아이는 운동을 하고 있었던 것이 아니라 놀고 있었다는걸 말이다. 아이는 교정을 위해 필요한 운동을 시켰더니 힘들다고 5분을 안 하고 짜증을 냈다. "아프지 않으려면 자세를 바꿔야 하고, 아빠는 너를 위해 힘들게 일하고 계시니 힘내서 해 보자"라고 말했는데 너무 꼰대 느낌이 나는 말이었을까? 재미없고 힘들게 한다고 다음부터 못 하겠다고 했다. 그리고 이제 2년이 흘렀는데 상태는 더 안 좋아진 것으로 얘기만 듣고 있다.

필자는 중고등학생의 근육교정을 거의 하지 않는 이유가 있다. 부모의 마음을 자극하면 지갑은 쉽게 열린다. 하지만, 아이들은 불편한 게 많지 않기 때문에 간절함이 없어서 자기 몸에 대해 노력을 하지 않는다. 교정을 하는 날에는 몸이 좋아지지만, 일주일 뒤에 다시 만날 때는 원상태로 돌아가 있는 것이다. 근육교정을 하는 입장에서는 실력이 없다는 원성을 들을 것이고, 부모 입장에서는 밑 빠진 독에 물 붓기다. 안타까운 일이다. 10대 아이들 중 프로 선수를 준비하는 아이들은 몸과 마음가짐이 다르다. 골프, 축구, 야구 주니어 선수들을 만나보면 이 친구는 대성하겠다 싶은 친구가 있고, 일반인보다는 낫지만 취미생활 정도로 하겠구나 싶은 친구들이 있다. 결국 아마추어를 넘어 국가대표까지 가는 친구들은 몸 관리가 철저하다. 부상을 당하고 치료하면 ㄱ 후에 스스로 관리하고, 근육교정을 통해서 방향만 잡아주면 한 주 뒤엔 컨디션이 더 발전돼서 돌아온다. 그럴 땐 참으로 보람된다. 하지만 일반적인 10대 청소년들이 부모랑 같이 상담을 올 때는 마음이 참 불편하다.

통증 없이 건강하게 살아가려면 반드시 나 혼자서 절박한 마음으로 관리하는 시간이 필요하다. 몸을 관리하는 것은 차를 구매할 때처럼 선택할 수 있는 옵션이 아니다. 있으면 좋고, 없으면 아쉬워도 타고 다니는 데 지장 없으니까 없어도 되는 성질의 것이 아니다. 5억짜리 차를 샀더라도, 경운기 엔진이 달려 있다면 어떻게 속도를 낼 수 있을까? 내 인생에서 건강은 삶을 유지하고, 앞으로 달려 나갈 수 있게 할 수 있는 원동력이다. 집에서 쉽게 할 수 있는 스트레칭을 소개하니 하루에 30분이라도 시간을 내서 관리하사.

척추옆굽음증 스트레칭

스트레칭 1

책상이나 식탁에 앉았을 때 앞에 잡고 버틸 수 있는 지지대와 앉을 수 있는 공간만 있으면 언제, 어디서든 스트레칭이 가능하다.

먼저 긴장을 풀고 편하게 의자에 앉는다. 테이블과 의자의 간격은 내 손이 닿을 수 있는 최대한 멀리 두고, 편하게 앉는다. 양팔은 곧게 펴서 테이블 위에 올려놓고, 쭉 뻗은 팔의 이완을 느끼는 동시에 숨을 내쉬면서 고개를 숙인다. 이때 목은 최대한 늘리는데, 엉덩이 쪽에 무게 중심을 두고 머리는 힘을 주지 않고 떨어트리는 느낌으로 깊이 호흡한다.

이 스트레칭의 포인트는 머리가 무게 추 역할을 하면서 틀어져 있는 흉곽과 허리의 비틀림을 잡아당기는 것이다. 자세가 잡혔다면 호흡하는 동안 골반과 허리는 곧게 펼 수 있도록 하고, 떨어트린 머리에 약간에 힘을 주어 무게 추에 무게를 더 얹는다고 생각하고 척추 양쪽 옆에서 척추

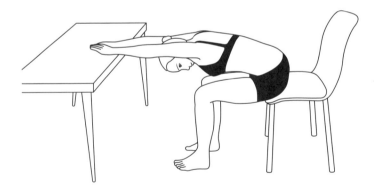

척추옆굽음증 스트레칭1. 머리의 무게로 흉곽과 허리의 비틀림을 잡을 수 있다

를 지지해주는 기립근을 당겨준다. 한 번에 30초씩 5세트를 해 준다. 다만, 척추옆굽음증이 심한 경우 스트레칭을 하는 도중 불편함이 생길 수 있으니, 컨디션에 맞춰가면서 진행하는 것이 좋다.

스트레칭 2

무릎을 꿇고, 허벅지는 수직으로 세운다. 이후 상체는 최대한 앞으로 숙여 무릎부터 상체만 봤을 때 직각삼각형이 되도록 자세를 만든다. 이때 양팔은 최대한 앞으로 길게 뻗으면서 손바닥은 땅에 댄다.

이 자세는 상체의 부드러운 이완에 효과적인 자세다. 척추옆굽음증뿐 아니라 허리가 아픈 사람들이 해도 좋은 자세이다. 이 자세를 하면서 머리, 목, 등과 허리를 일렬로 맞추려고 노력한다. 숨을 최대한 깊게 들이마시고, 내쉬면서 가능한 팔을 앞으로 더 뻗어내려 힘을 주고, 어깨와 목을 스스로의 힘으로 바닥 쪽으로 힘을 주어 밀어낸다고 생각하면 동작을 조금 더 깊이 있게 할 수 있다.

이 스트레칭을 할 때 도와줄 가족이나 연인, 친구가 있다면 이 자세에서 양쪽 엄지손가락으로 원을 그리면서 부드럽게 골반부터 어깨까지

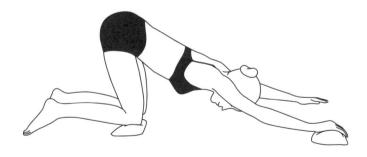

척추옆굽음증 스트레칭2. 상체를 부드럽게 이완할 수 있다

마사지를 해 주면 근육교정 효과가 있고, 근육 이완에 많은 도움이 된다. 누군가 옆에서 도움을 줄 때는 완전히 무릎 꿇은 자세에서 진행하면 서로 편하게 진행할 수 있다.

척추옆굽음증은 꾸준한 관리와 노력이 필요하다. 젊은 날엔 잘 모를 수 있지만, 중년이 지나면서부터 극심한 통증과 불편함으로 많은 날들을 고생하게 된다. 척추가 비틀린 상태가 지속되면 소화 기능과 호흡 기능이 떨어지고 그로 인해 수반되는 또다른 불편함들이 발생하기 때문이다. 대수롭지 않은 동작이지만, 노력하며 쌓은 시간은 불편함과 통증으로부터 자유로워지는 달콤한 상을 줄 것이다.

완전 평면 일자 허리, 척추뒤굽음증

척추의 다른 변형 중 가장 흔하게 나타나는 형태의 변형으로는 척추뒤굽음증(kyphosis), 척추앞굽음증(lordosis)이 있다.

척추뒤굽음증(kyphosis, 척추후만증)은 옆에서 보았을 때 요추 전체가 뒤로 후만 되어 있는 형태를 취하고 있다. 여러 가지 원인들 중 가장 큰 원인은 나쁜 자세인데 그래서 자세성 후만증이라고도 한다. 학생, 사무직, 컴퓨터 업무 등 많은 시간을 책상에 오래 앉아 있는 사람들에게서 흔히 나타나는 형태로, 고개를 숙이고 책을 보는 자세나 모니터 앞으로 얼굴을 들이대고 앉는 자세가 주된 원인이다. 후방에서 교통사고가 났을 때 앞뒤로 목이 부딪히거나 목에 강한 충격을 받았을 때도 빈번하게 발생하기도 한다. 척추뒤굽음증의 통증은 견갑골(어깨 날갯죽지 부분) 부분이 띠 모양으로 아프면서 무릎도 아픈 것이 특징이

기도 하다.

척추뒤굽음증은 등과 허리 부분이 아플 것 같은데 왜 무릎이 아프기도 할까? 앞에서 설명했듯이 척추는 목, 등, 허리 세 군데가 앞, 뒤로 굽이가 형성되면서 S자 모양을 유지해야 한다. 하지만 척추뒤굽음증의 경우 허리 모양이 옆에서 봤을 때 거의 일자 모양으로 형성이 되어 있다. 허리가 배 쪽, 앞으로 오목하게 들어가야 하는데, 뒤로 빠져 있는 모양이다. 머리에서 내리꽂는 중력을 허리와 골반에서 온전히 받아내지 못하기 때문에 그다음으로 큰 관절인 무릎으로 모든 무게의 중심이 이동하게 되는 것이다. 그렇기 때문에 척추뒤굽음증의 경우 허리보다는 무릎의 통증을 더 호소하기도 한다. 무릎이 아플 때도 무릎 전체가 아픈 것이 아니라 균형이 틀어지고 몸이 비틀어지면서 아픈 것이기 때문에 슬개골, 무릎 앞에서 만져지는 뼈 주변으로 통증이 온다.

척추뒤굽음증 스트레칭

가장 좋은 스트레칭은 코브라 자세이다.

이 자세는 뒤로 나와 있는 허리의 모양을 상대적으로 앞으로 밀어내는 자세이다. 척추뒤굽음증이 있는 사람들은 코브라 자세를 할 때 생각보다 많은 불편함을 호소하기도 한다. 그래서 초기에 팔을 완전히 펴고 하는 것은 허리에 많은 부담이 되기 때문에 처음엔 팔꿈치를 땅에 붙이고 시작하는 것이 좋다. 견딜만한 정도가 되면 팔을 쭉 펴고 코브라 자세를 하게되면 안정적인 허리의 모양이 형성되는 것을 볼 수 있을 것이다.

허리기 정상 범위의 위치를 찾아 들어갈 때 통증이 수반되기도 하므로 그런 경우 며칠 쉬었다가 다시 진행한다.

척추뒤굽음증 스트레칭. 뒤로 밀린 허리를 앞으로 밀어내 안정적인 허리 모양을 형성한다

날씬한데 배만 나와요, 척추앞굽음증

척추앞굽음증(lordosis, 척추전만증)은 옆에서 보았을 때 정상적으로 존재하는 허리뼈의 전만이 증가한 상태를 의미한다.

임신 후반부 변화된 무게 중심을 보상하기 위해 일시적으로 나타나는 경우가 많고, 복부비만이 심한 사람이나 하이힐을 오랫동안 신었던 여성들에게서 흔히 볼 수 있는 형태인데, 대부분 배와 엉덩이가 많이 나오는 특징이 있다. 마른 체형임에도 배와 엉덩이가 나오는 여성들 중 하이힐을 의심하기는 커녕 생각조차 못해본 사람들이 대부분일 것이다.

척추앞굽음증의 통증은 특히 허리 주변부와 목이 아프다는 특징이 있다. 척추앞굽음증으로 허리가 아픈 사람들의 해결 방법 중 매우 간단한 것은 살을 빼는 것이다. 뱃살을 줄이게 되면 허리의 통증이 감소하는 것을 금방 느낄 수 있다. 살 빼는 게 쉽냐고 생각하는 사람들도 많을 것이다. 살 빼는 것은 절대 쉽지 않은 일이지만, 허리 아픈 것을 매우 건강하게 치료하는 방법이 바로 다이어트라는 의미이다.

여성이라면 척추앞굽음증을 해결하는 또 하나의 방법으로 하이힐이 아닌 운동화나 낮은 구두로 바꿔 신는 것이다. 여성으로서 포기할 수 없는 자존심이라고 생각하는 분들도 있겠지만, 신발을 바꾸는 작은 변화만으로도 금방 해결되는 것을 볼 수 있을 것이다. 신발은 매일 그리고 하루종일 신고 있는 것이기 때문에 생각보다 몸에 많은 영향을 주기 때문이다.

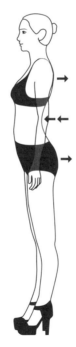

척추앞굽음증. 허리뼈가 배쪽으로 많이 밀러나오고 등과 엉덩이가 뒤쪽으로 밀려 있다

척추앞굽음증 스트레칭

가장 좋은 스트레칭 방법으로는 고양이 자세가 있다.

고양이가 싸우기 직전 꼬리를 세우고, 허리를 잔뜩 세워서 상대방을
위협하는 자세를 그대로 본떠 만든 요가 자세로 요추의 압박을 줄이며,
탄력과 유연성을 보강할 수 있다. 이 자세 또한 척추앞굽음증이 있는 사
람들은 처음에는 매우 불편할 수 있으나 시간이 지나면서 허리의 통증과
소화 장애가 줄어들고, 허리가 안정되어 가는 것을 느낄 수 있게 된다.

척추앞굽음증 스트레칭. 앞으로 밀린 허리를 뒤로 밀어내 안정적인 허리 모양을 형성한다

허리 통증의 원인, 복압

허리의 통증에 실과 바늘처럼 따라다니는 단어는 다이어트이다. "살
빼면 허리 안 아프다"는 이야기를 많이 들어봤을 것이다. 그걸 누가 모
르겠는가! 그런데 살하고 허리 통증하고 무슨 상관이 있길래 살 빼면

안 아프다고 사람들이 그러는 걸까? 반대로 살찌면 왜 허리가 아프게 되는지 그 이유를 알아보자.

　사람의 몸 안에는 복압(腹壓)이라는 게 있다. 복압은 말 그대로 복부 내의 압력을 의미한다. 사람이 힘을 쓸 때, "영차, 으라차차"하면서 복부 안의 압력을 높여 척추가 다치지 않고 무거운 무게를 견딜 수 있도록 도와주는 요인 중 하나이다. 우리가 아침에 대변을 볼 때, 아이가 "응가" 하면서 얼굴에 힘을 쓸 때도 실질적으로 몸 안에서 쓰이는 것이 복압이다. 몸의 장기들은 한정된 공간을 부여받아 각자 맡은 바 일을 한다. 내 몸속 장기들은, 집 주변에 땅을 매입하듯 부지를 계속해서 늘릴 수 없다. 여러 장기가 일정부분 서로의 공간에서 좁지만 가장 효율적인 위치를 찾아 제 기능을 하고 있는데, 어느 날 갑자기 지방(fat)이 찾아왔다. 지방의 존재가 있다는 것을 이미 오래전부터 알고 있었지만, 어느 날부터인지 모르게 이 녀석들은 친구들을 데려와서 눌러앉기 시작하더니, 굴러온 돌이 박힌 돌을 빼려고 노력하고 있다. 매우 평온하던 동네에 분열이 생기기 시작한 것이다.

　버스에 버스 기사와 나, 단둘이 버스를 타고 있으면 매우 쾌적하고, 평화롭기까지 하다. 버스에 10명이 더 타도 마찬가지로 신경은 쓰이지만 나를 건드리는 사람이 없다면 편하게 갈 수 있다. 하지만 다음 정거장에 씨름 선수들 30명이 타고, 그다음 정거장에 유도선수들 30명이 탔다. 버스는 어느새 꽉 찼고, 한여름 에어컨까지 고장 나 숨도 쉬기 어렵게 됐다. 내가 살이 찌고 있을 때 겪는 내 몸 안의 상황이다.

　가난하고, 좁았지만 평화로웠던 동네에 지방이 찾아오게 되면 복부 안의 압력이 올라가게 되고, 지방이 쌓이면 쌓일수록 한정된 공간을 늘려야 하기 때문에 배가 나오게 된다. 아무리 살이 쪘다고 하더라도 허리가 나왔다고 하는 사람은 존재하지 않는다. 상대적으로 늘어날 수 있는 공간이 있는 배가 나오고, 밀도는 높아지므로 복압은 더 증가하게 된다. 각자 자리를 지키던 장기들도 서서히 뒤로 밀리게 되는 현상이 일어난다. 그렇게 되면 허리의 압박이 높아지게 되고, 허리의 통증이 밀려오게 되는 것이다. 지방의 난입으로 살이 찌면서 좁아진 복부 안에 복압의 증가가 허리를 아프게 하는 원인인 것이다. 반대로 살이 빠지게 되면 지방들이 몸 밖으로 사라져 장기의 위치가 제자리를 찾아가기 때문에 복압이 낮아져서 허리의 압박이 줄어들게 된다.

그럼 복압이 없으면 허리가 안 아프지 않을까 하는 생각이 들 수도 있을 것이다. 그렇다면 전쟁 영화를 떠올려 보자. 치열한 격투를 벌이다 창상을 업었을 때 장기가 쏟아지는 장면을 본 적이 있을 것이다. 밀폐된 배에 구멍이 나면서 체내에 복압이 사라지게 되고, 그로인해 장기들은 밑으로 쏟아지게 된 것이다. 복압이 하는 기능을 간단히 정리하면 호흡에 영향을 주고, 우리 몸 안에 장기들을 정렬해 주며, 척추를 지지하는 역할도 하고 있다. 물구나무 서기를 해도 장기가 머리 쪽으로 쏟아지지 않는 이유는 복압이 버티고 있기 때문이다.

"살이 찌면 허리가 아프다."

매우 간단한 논리임에도 의외로 제대로 이해하고 있는 사람은 별로 없다. 자세히 설명을 해 주거나 이해 시켜주는 사람들도 없는 것도 한 몫을 할 것이다. 허리 안 아프게 복압 조절을 하라고 하면 단전호흡을 해볼까 하는 생각이 들 수도 있을 것이다. 자꾸 다른 곳으로 시선을 돌리려 하지 말고 그보다 근본적으로 통증의 원인인 살을 빼보자. 허리의 통증이 줄어드는 것을 금방 느낄 수 있다.

가장 완벽한 운동

살도 빼고 건강도 되찾고 싶은데 무슨 운동을 해야할지 조금의 고민이라도 시작되었는가? 골프, 테니스, 헬스클럽, 요가, 필라테스, 스피닝, 크로스핏 등 유행하는 운동이나 어렸을 때 해봤던 검도나 태권도를 떠올리는 사람들도 있겠지만, 나이가 들수록 대부분 크게 다치지 않는 정적인 운동을 먼저 시도해 본다.

필자가 추천하는 가장 완벽한 운동은 남녀노소 누구에게나 익숙하고 가벼운 그리고 별로 어렵지 않은 운동이라고 생각하는 유산소 운동의 대표주자 줄넘기이다. 몸 안에 최대한 많은 양의 산소를 공급시킴으로써 심장과 폐의 기능을 향상시키고 강한 혈관 조직을 갖게 하는데 큰 효과를 줄 수 있는 운동으로 널리 알려져 있다. 하지만 줄넘기는 유산소 운동이 아니라 장운동이다. 팔다리가 없는 사람들은 한 달에 대변을 손에 꼽을 정도로밖에 보지 못한다. 장기(臟器)는 스스로 에너지를 내어 움직일 수 없다. 팔과 다리가 움직이면서 장의 연동 운동을 돕기 때문에 움직일 수 있는 것이다. 장을 활발히 움직일 수 있도록 돕는 가장 안정적이면서 이상적인 운동이 줄넘기인 것이다. 줄넘기를 통해서 장이 움직이고, 장이 움직임으로써 신진대사율을 높일 수 있다.

"나는 나이 먹고 무릎이 아파서 줄넘기를 못 해." 하는 사람들도 주변에 꽤 많이 찾아볼 수 있다. 하지만 무릎이 아파서 안 하는 게 아니라 아플까 봐 안 하는 경우가 대부분이다. 줄넘기를 하면 무릎에 충격이 가해져서 아프다는 것도 틀린 말은 아니지만, 무릎에 충격이 가해질 때까지 관리를 안 했다면 오히려 반성을 하는 시간으로 삼아야 한다. 근육교정으로 몸의 밸런스를 맞춰놓은 상태라면 더더욱 그런 걱정을 할 필요가 없다.

줄넘기를 하겠다고 처음부터 줄을 넘기는 것이 필요한 것은 아니다. 100세 시대를 사는 우리는 천천히 해도 앞으로 살아야 할 날들이 무척이나 많이 남아 있으니, 바로 달려 나가서 줄을 넘기지 않아도 된다. 처음에는 서 있는 그 자리에서 제자리 뛰기로 시작하면 된다. 어깨너비로 다리를 벌리고 서서 발을 11자로 만든다. 뒤꿈치를 들고 제자리에서 3~5센티만 뛰면, 줄넘기를 하는 것과 비슷한 효과를 얻을 수 있다. 운동을 하지 않던 사람이 시작하기에 딱 적당한 강도이다. 아파트에 살고 있어 층간 소음이 걱정되는 분들에게도 유용한 운동법이다. 층간 소음을 일으키는 발뒤꿈치로 바닥을 치는 행동이 포함되지 않기 때문이다. 그 다음에는 팔도 함께 돌려보자.

그렇게 조금 익숙해지면 밖으로 나가보자. 실제로 줄을 넘기는 것은 제자리 뛰기를 하는 것보다 더 힘이 들 것이다. 줄넘기를 하다 보면 처음엔 숨이 차고, 나중엔 종아리와 허벅지도 아프고 개수가 많아질수록 팔까지 아파오게 된다. 운동을 하면 당연하게 근육통이 따라오게 되어 있다. 처음부터 무리하지 말고 줄을 넘길 때 5분짜리 노래 하나 틀어놓고 끝날 때까지만 버텨보자. 그렇게 5분만 버티면 건강해질 수 있는 기초를 마련하게 되는 것이다. 8천원짜리 줄넘기를 하나 사면 최소 3년 이상 쓸 수 있다. 8천원짜리 줄넘기로 매일 3년을 운동하면 하루에 7.3원이다. 그 어떤 운동보다 비용이 들지 않는 저렴하고 안전한 운동이다. 필자는 매일 3천개 이상의 줄넘기를 하고 있다.

처음 시작하게 된 계기는 두통이 너무 심하고, 간헐적 코피가 나와서 였다. 이유를 몰라 병원 진료를 받으니 고혈압이었다. 병원에서 당장 혈압약을 먹지 않으면 위험하다는 이야기를 들었지만, 약을 먹지 않고 건강해질 수 있는 방법이 있을까 고민하다가 시작한 것이 줄넘기였다. 줄넘기를 처음 시작했을 때 3천개에 도전했고, 지금은 5천개에 도전 중이다. 지금은 매우 익숙해진 줄넘기지만 그래도 1500개가 넘어가면 항상 성찰의 시간이 찾아온다. 왜 내 몸을 이렇게 편한 대로, 방만하게 사용했을까? 앞으로 얼마나 운동을 더 해야 건강해질까? 등등

건강을 잃는 것은 몸과 마음이 편할 때 너무 쉽게 찾아온다. 먹고 싶은 것 마음대로 먹고, 일어나서 움직이지 않고 편하게 누워 있고 활동을 줄이는 모든 것들이 결국 내 건강을 좀먹는 행동이다. 반대로 건강을 얻는 것은 수없이 많은 땀과 노력의 대가가 있어야 가능해진다. 그 노력은 처음엔 확인할 수 없을 만큼 적겠지만, 점점 쌓여가는 노력은 마침내 내게 건강의 그린라이트를 켜줄 것이다.

각자의 삶에서 오늘 그리고 지금이 가장 젊은 날이다. 지금 일어나서 나가자. 단 5센티라도 뒤꿈치를 들고 뛰어보자. 일 년 뒤, 이 년 뒤엔 내 몸의 부피가 줄어들 것이고, 내가 먹어야 하는 약이 없어질 것이고, 내가 할 수 있는 운동량과 지구력은 늘어날 것이다.

50대 후반 중견 기업의 대표님 한 분이 얼마 전부터 두통과 눈에 실핏줄이 터지는 게 걱정된다고 말씀하셨다. 회사에서 받는 스트레스가 많고, 누구나 코비드 19 때문에 오는 경영악화로 신경이 곤두서고 있는 것은 잘 알고 있었지만, 걱정 되니 우선 병원에서 검사 한번 받아보라고 권해드렸다. 며칠 뒤, 6개월 전만 해도 모두 정상이었는데, 혈압과 당뇨 수치가 높아서 이제부터 약 먹어야 하는데, 약은 먹기 싫고 다른 방법을 통해서 좋아질 수 있는 게 있을지 물어왔다. 나와 똑같은 상황에 놓여 있었기 때문에 자신 있게 대답했다. "할 수 있으면 매일 줄넘기 3천개씩 같이 해 봅시다. 힘든 운동이니 동기부여를 위해 내가 먼저

3천개 카운트한 사진 찍어서 공유 할 테니 같이 건강해 집시다."라고 말했다. 그래서 매일 줄넘기 3천개를 시작했는데, 그 대표님은 한 달 만에 키에 맞는 정상 몸무게로 돌아왔고, 약을 안 먹고도 두 달 만에 모두 정상 수치로 돌아왔다.

이게 말이나 되는지 의구심이 든다면 말이 되는지 안 되는지 일단 해 보고 이야기하자. 경험하면 공감할 수 있다. 이 책을 끝까지 읽든 읽지 않든 그것은 중요하지 않다. 여기까지 읽었으면 덮고 그 자리에서 잠깐이라도 뛰어보자. 병원비와 건강관리비로 지출되는 비용만 줄여도, 가족들과 오늘 저녁 소고기 파티를 할 수 있지 않겠나. 지금이다! 일어나서 잠깐만 제자리 뛰기라도 시작하다면 몸에 대한 걱정과 지출이 줄어들 것이다.

생활 속 다이어트

운동과 더불어 살을 빼는데 도움이 되는 생활의 지혜를 좀 더 알아보자. 살이 찔 때는 부드럽고, 안정되게 그리고 매우 탄력적으로 천천히 몸이 불어난다. 내 몸이 이렇게까지 거대해질 수 있구나! 감탄사가 절로 나온다. 언제 이렇게 살이 쪘는지 잘 생각해보면, 어느 날 갑자기 언제 이렇게 살이 쪘는지 발견하는 경우가 대부분일 것이다. 다이어트를 하고 있지 않았다면 '어제도 살이 찌고 있었는데, 오늘도 살이 찌고 있네'라고 계속 생각하기는 어렵다. 살이 찌고 있음을 인지한다고 해도 실질적으로 무엇을 개선해야 하는지 생각하는 것 자체가 어렵다.

'Fit to Fat to Fit'이라는 미국의 TV 프로그램은 트레이너와 비만

참가자가 함께 다이어트를 하는 콘텐츠다. 이 프로그램에 출연한 트레이너는 처음에 비만인을 이해하지 못했다. 왜 우울한지, 약해지는지 몰랐지만 정작 본인의 몸이 4개월 사이에 83.5kg에서 111kg로 늘어나니 처음 경험하는 우울과 몸이 약해지는 기분에 절망하는 모습이 그대로 노출됐다. 결과는 살찌운 트레이너, 비만 참가자 둘 다 다이어트에 성공해서 달라진 모습을 보여주며 훈훈하게 마무리 됐다.

인상적인 부분은 가족들과의 관계도 소원해지고, 불만이 많아지며, "살찐 외모 때문이 아닌 태도와 기분 때문에 힘들다"는 트레이너의 인터뷰에서도 드러나듯 정신적 고통이 함께 온다는 것이다. 살이 찐 사람들 중 성격이 둥글둥글하고 밝은 사람들도 있지만, 대부분 우울감과 무기력함으로 힘들어하는 사람들이 많다. 숨도 차고 체력이 떨어지는 느낌은 살이 찌기 시작할 때 가장 처음 느끼는 반응이지만, 이후에는 우리의 몸뿐만 아니라 정신까지도 한 번에 장악할 수 있는 힘을 갖고 있다. 스트레스를 받으면 먹는 것으로 풀고, 술 한 잔 기울이다가 보면 어느새 체력 저하로 이어지고 면역이 떨어지고, 그러다 보면 무기력해지는 과정을 겪게 된다. 눈 떠 보니 내가 아닌 거대한 내가 있는 게 보통의 패턴이다.

일반적으로 살이 찌는 것은 남성과 여성이 다른 양상을 띈다. 남성의 경우 내장지방의 축적으로 팔과 다리는 얇아지고 임신한 것처럼 거대하고 딱딱한 뱃살로 이어지는 ET 체형으로 변해 가게 된다. 여성의 경우 여성호르몬의 영향을 받아 허벅지, 엉덩이에 지방이 쌓이게 되고 팔과 다리의 탄력을 잃어 살이 늘어나는 흔히 보는 타이어 브랜드의 마스코트 체형으로 변하게 된다. 하지만 살이 빠질 때는 남녀 모두 얼굴, 팔, 상체부터 빠진다. 그 뒤로 순서에 약간의 차이가 발생하는

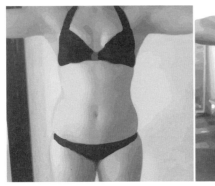

비슷한 몸무게일지라도 지방과 근육의 비율이 다르다. 이제 건강한 다이어트로 목표를 잡자

데, 여성의 경우 몸통, 아랫배, 엉덩이, 허벅지 순이라면, 남성의 경우는 엉덩이, 허벅지, 몸통, 아랫배 순으로 빠지는 경우가 많다. 결국 이모든 과정을 거쳐 전체적으로 날씬하게 살이 빠지는 데는 그만큼의 시간 투자와 끊임없는 노력이 필요한 것이다. 지금 신경쓰이는 부분이 바로 빠지지 않고 있다 할지라도 말이다. 삼겹살을 먹고, 기름기를 닦아낼 때 찬물로 설거지가 가능할까? 미끄럽고, 끈적거리는 느낌을 가시게 하기 위해서는 반드시 따뜻한 물이 필요하다. 군 생활을 할 때 삼겹살을 구운 프라이팬을 찬물로 닦아 본 적이 있었는데, 4시간여동안 헤어나올 수 없는 절망감을 맛본 경험이 있다. 그만큼 기름기를 제거하기란 쉽지 않은 여정이다.

　우리는 살을 빼야 한다고 생각하면 저울부터 확인한다. 당연히 살을 빼는 것은 몸무게가 줄어드는 것을 확인해야 하는 임무를 부여받는 것이지만 중요한 포인트는 무게의 변화보다 부피의 변화이다. 체지방을 측정하는 방법으로 '수중체밀도법'이 있다. 이 수중체밀도법에 의하면 지방의 비중은 약 0.9g/cc로 물보다 가벼우며, 근육은 약 1.1g/

cc로 물보다 무겁다. 지방은 밀도가 낮기 때문에 몸에 많이 축적되어 쌓여 있을수록 같은 무게라고 해도 부피가 커지게 된다. 대략 근육 1kg과 지방 1kg의 부피 차이는 30% 정도 지방이 더 많이 차지하고 있다. 그래서 같은 무게, 다른 몸매가 나오게 되는 것이다. 지방을 줄이는 것에 성공했다면 무게의 변화보다는 부피의 변화로 인해 살이 쪄서 작아진 옷을 입을 수 있게 되는 것이다.

이제부터 무게에 집중하지 말고, '건강해져서 좋은 몸매를 갖겠다'로 목표를 선회하여 건강한 다이어트에 초점을 맞춰보자.

건강한 다이어트 4단계

Step 1. 살을 빼기 위한 첫 번째 관문은 몸이 따뜻해지는 것이다

살이 찐 사람들의 식습관을 보면 찬물을 좋아한다. 아니 차가운 '물'이라도 마시면 좋겠지만, '얼죽아'라는 말이 나올 정도로 한 겨울이라 할지라도 얼어 죽어도 아이스 아메리카노만 찾는 사람들이 많아진 상황을 대변한다.

몸은 반드시 일정 체온을 유지해야만 하는데, 차가운 음료를 계속 마실 경우 위장 기능이 떨어지면서 복통과 설사를 동반하고 심하면 위장장애까지 발생할 수 있다. 겨울철이 되면 외부의 기온이 떨어지면서 혈관의 수축을 통해 혈압이 크게 올라가는데, 차가운 음료를 마시면 혈관 수축이 더 강하게 일어나면서 뇌혈관이나 심장에 일시적 무리가 올 수 있다. 또한 잦은 반복은 수족냉증, 두통이나 어지럼증까지 동반되는 경우도 있다.

다이어트를 위해 몸을 따뜻하게 해야 하는 이유는 신진대사를 끌어올리기 위함이다. 신진대사가 활발해지면 체내에 항상성 조절 및 뇌, 심장, 그 외의 장기에 필요한 에너지 공급과 노폐물 배출에 촉매제 역할을 할 수 있기 때문이다. 신진대사가 잘 되는 사람은 살이 찌지 않는다. 하지만 나이가 들면 체온이 떨어지면서 신진대사는 자연스럽게 느려지게 된다. 앞에서 언급했던 것처럼 체온이 1도가 떨어지면 신진대사가 15% 떨어진다. 반대로 1도가 올라가면 면역체계와 신진대사가 활발해져 생명 유지에 관여하는 효소가 활발하게 활동할 수 있고 질병은 줄어들게 된다. 그래서 다이어트를 위해 몸을 따뜻하게 해 주는 것이 가장 기본이 되는 첫걸음인 것이다. 설거지를 할 때도 기름기를 닦아 내는데 따뜻한 물이 필요하듯이, 체내 지방을 분해할 때도 몸을 따뜻하게 해 주어야 내장지방이 빨리 분해가 된다.

가장 쉽게 접근할 수 있는 열을 올리는 제품에는 핫팩이나 핫 스톤, 물주머니 등 배를 따뜻하게 해주는 것이겠지만, 이런 제품들은 피부 표면만 따뜻하게 해 주는데서 거의 모든 기능이 끝나며 효과는 일시적이다. 가능하다면 가장 좋은 것은 뜸을 뜨는 것이다. 한의학에서 주로 다루는 침과 뜸을 무기로 비교하자면, 침은 소총의 역할을 하고 뜸은 대포의 역할을 한다고 보면 된다. 뜸은 열기가 깊은 곳까지 파고들어 체내 깊은 곳에 열감을 증폭시킬 수 있는 가장 좋은 도구이다. 가정에서 쉽게 할 수 없을 것이라 생각하지만 찾아보면 간편하게 할 수 있는 제품들이 판매되고 있으니 한 번 도전해 보자.

열을 내는 보조 도구의 도움 없이 스스로 체온을 높이는 방법으로는 복근을 자극하는 것이 있다. 마사지 봉이나 매직으로 배꼽 주변을 여덟 방향으로 지압하는 것이다. 배꼽 위(12시 방향)부터 시작해서

체온을 높이기 위해 자극하면 좋은 배꼽 주변 여덟 방향 지압포인트이다

오른쪽으로 3시 방향 가운데 아래 6시 방향 왼쪽 9시 방향으로 한 바퀴 돌리고, 다시 대각선 오른쪽 위, 대각선 오른쪽 아래, 대각선 왼쪽 아래, 대각선 왼쪽 위 이렇게 여덟 방향을 꾸준히 지압해 주면 단전 부분과 임맥의 자극을 통해 체온이 올라가고, 소화 기능과 허리 통증 완화에 도움이 된다.

10년 전쯤, 메이저리그에 진출했던 야구선수의 아내가 출산을 해서 댁으로 방문한 적이 있었다. 야구선수 부부, 이제 한 달 된 아들, 친정어머니와 외할머니까지 총 4대가 한 집에 있었다. 한강이 보이는 아파트의 6층에 집이 있었는데, 60대 초반의 친정어머니는 엘리베이터를 타고 올라오고, 80대 중반의 외할머니는 걸어 올라오셨다. 친정어머니와 외할머니 중 누가 더 건강했을까? 출제자의 의도를 파악했다면 이미 답을 눈치챘을 것이다. 80대 중반의 외할머니가 더 건강했다. 60대의 친정어머니는 고혈압, 당뇨, 고지혈증 약을 복용하고 있었고, 외할머니는 약은 커녕 6층까지 걸어 다녀도 숨이 차거나 힘든 내색은 전혀 없었다. 상담과 리딩을 통해 보니 갓난아기를 제외하고 외할머니가 제일 건강했다. 외할머니는 "내가 제일 빨리 죽어야 하는데.... 건강하다니 민망하구먼..." 하시면서 좋아하셨다. 10년이 지났는데, 아직도 잊히지 않는 어르신의 건강법을 잠시 소개하겠다.

주무시고 일어나면 바로 일어나지 않고, 기지개하고 난 뒤, 눈을 감은 채로 머리부터 발끝까지 모든 관절을 두들겨준다. 10분 가량 모든 관절을 두들겨주면, 잠들기 전에 했던 다리 당기기, 온몸 비틀기 등 스트레칭을 다시 해 주고, 배꼽 주변을 지압봉으로 여덟 방향으로 눌러준다. 5분 정도 이 과정을 마치면 그때 천천히 일어나서 움직이기 시작한다. 당시에는 이 과정만으로도 관절에 무리없이 80대까지 잘 쓸 수 있을까? 생각했었는데, 10년 동안 어르신의 건강법을 되뇔 때마다 정말 지혜롭고, 대단하다는 생각이 들었다.

현대의학처럼 빠르게 증상만 없애는 것에 초점을 맞추는 게 아니라, 몸 전체의 관절에 기운을 북돋아 주고 장기를 깨워서 체온을 높여주는 가장 근본적인 자가 치료의 핵심이었던 것이다. 어디서 배웠는지 어떻게 알게 됐는지는 모르지만, 본인의 딸과 손녀보다 건강하고 더 젊게 살아가는 것은 확실하다. 건강함에 있어서 얼마나, 어떻게 잘 관리 했느냐가 건강의 핵심이지 나이는 중요한 게 아니라는 것을 어르신을 통해서 배웠다.

Step 2. 그 다음으로 중요한 것은 수분 공급이다

아무리 먹어도 살이 안 찌는 체질이 있고, 물만 먹어도 살이 찐다는 체질이 있다. 살이 찐 사람은 말라보는 게 소원이고, 마른 사람은 단 몇 그램이라도 무게가 느는 게 소원이다. 이렇게 극단적인 체형은 결코 좋을 리 없다.

먹는 양의 기준은 장의 흡수 기능에 따라 달라지는데, 장의 흡

수 기능이 좋다면 조금만 먹어도 포만감 때문에 배가 부르고, 흡수 기능이 떨어지면 흡수하지 못하고 버려지게 되는 양이 많기 때문에 많이 먹어도 배가 부르지 않다. 즉, 장의 기능이 떨어지면 영양분을 흡수하지 못하므로 아무리 먹어도 살이 찌지 않는다.

장 기능 개선은 다른 장에서 설명할 장요근과 단전 주변 마사지, 스트레칭, 줄넘기 만으로도 충분하다. 단, 매일 꾸준히 해야된다. 생각나면 다음 날 일어나지 못할 정도로 운동하고, 힘들면 며칠이곤 안 하면 아무런 도움이 되지 않는다. 공부나 운동이나 매일같이 꾸준하고 성실하게 한 사람만이 최상의 자리를 유지할 수 있는 것처럼 묵묵히 해야 한다. 반면 안 먹는데 살이 찌는 경우, 물만 먹었는데 살이 찌는 경우는 좀 상황이 다르다. 이런 경우는 부어서 살이 쪄 보이는 것이다. 여성들이 "나는 살찐 게 아니라 부은 거야"라고 이야기를 많이 한다. 고단백 음식과 운동 부족으로 살이 찌는 경우도 많지만, 몸의 이상으로 살이 찌는 경우도 있다. 몸이 부으며 살이 찌는 경우 신장 기능 저하를 의심해 볼 수 있다. 신장 기능이 떨어져 요산을 배출하지 못하면 몸에 축적되어 붓게 되기 때문이다. 이런 부기는 시간이 지나면 살이 되고, 살이 찌면 피곤하고 무기력해지고 우울해지는 악순환이 반복된다.

신장 기능이 떨어졌을 때는 물을 마시는 방법도 중요하다. 수분이 부족하게 되면 호르몬 기능이 저하되는데, 여성 호르몬인 에스트로겐이 줄어들면 뱃살이 늘어나며 성장 호르몬이 줄어들면 근육량은 줄고 복부지방은 늘어난다. 근육이 줄어들면 기초대사량이 떨어져 몸이 차가워지고 살이 찌게 된다. 신장 기능이 떨어지면 부기가 늘어나는데, 많은 물을 한 번에 들이키는 것보다는 소주잔으로 한 잔의 물을 끊어서 꾸준히 마시는 것이 신장에 무리를 가하지 않으면서 물을 최내로 흡수할 수 있는 방법이다.

비가 많이 와서 상류 댐에서 수문을 열어 방류를 했다고 치자. 방류한 물이 하류까지 도달했는데 마지막 댐이 수문을 닫고 방류를 하지 않는다면 어떻게 될까? 물이 가득찼는데 더 물을 들이부어봤자 넘치기만 할 뿐이다. 신장이 제기능을 하지 못하는데 물만 많이 마시면 이런 사태가 벌어지는 것이다.

소주잔 용량은 약 70ml 정도 된다. 이 한 잔을 15분 단위로 마시게 되면 한 시간 동안 280ml의 물을 마실 수 있다. 24시간 중 자는 시간과 업무, 이동시간을 제외하고, 나머지 약 10시간 정도를 이와 같은 방법으로 물을 마셔보자. 10시간 동안 2,800ml의 물을 마실 수 있다. 소주 한 병에 360ml이니까 10시간 동안 소주병으로 7.7병의 물을 마실 수 있게 된다. 소주잔으로 물을 마시면 물이 안 먹힌다거나 물이 맛이 없다거나 하는 이야기는 나오지 않을 것이다. 거의 한 모금이기 때문에 털어 넣으면 생각할 겨를 없이 바로 넘어가기 때문이다. 소주는 7병 마시겠는데, 물은 못 마시겠다 하는 사람이 종종 있다. 매일 물을 소주병으로 7병 마시면 소주를 더 오래 마실 수 있다. 살아야 소주를 마실 수 있지 않나?

물을 적당히 잘 마시는 것도 중요하지만 어떤 물을 마시느냐도 중요하다. 우리 몸의 피부는 pH 5.5~5.9 정도의 약산성을 유지하고 있다. 약산성으로 피부를 보호해 주는 역할을 하며 외부의 곰팡이균이나 세균 등으로부터 피부를 보호해 준다. 이와 반대로 몸속의 장기들은 약알칼리 상태를 유지한다. pH 7.3~7.45 정도의 약알칼리 상태를 유지해 주어야 몸이 정상적인 기능을 유지할 수 있다. 몸 속이 산성화되면 콜레스테롤 수치가 증가하면서 피가 탁해지고, 두통 및 만성피로의 원인을 제공한다.

　　세계보건기구(WHO)에서 권장하는 성인의 물 섭취량은 1.5~2L 정도이다. 하지만 대부분의 사람이 커피와 같은 산성화된 음료를 마시기 때문에 체내에서 중성화하려는 과정 중에 그보다 더 많은 물이 필요하게 된다. 게다가 커피는 이뇨작용을 하므로 수분이 빠져나간다. 이뇨 작용이 일어나면 부기가 빠져서 다이어트가 된다고 잘못된 상식을 가진 사람도 많지만, 이는 체지방이 빠지는 게 아니고 단순히 수분만 빠져나가는 것이므로 다이어트와는 전혀 상관이 없다. 지방을 분해하기 위해서는 물이 필요하다. 커피는 물이 아니다. 수분 보충 없이 계속 커피만 마시게 되면 탈수가 생겨 지방 분해와는 전혀 다른 길을 가게 된다. 커피 네 잔이면 물 네 잔 이상을 마셔야 체내 수분이 동일하게 유지가 된다.

　　체온과 같은 온도의 물로 미네랄이 살아 있는 물을 마시는 것이 가장 좋다. 아울러 산성화된 물이 아닌 맹물을 마셔야 한다. 물에 맛을 내기 위해서 차나 레몬을 넣은 것은 물이 아니다. 또한 완벽하게 걸러내는 물은 증류수로 pH 5.7 내외인데, 먹는 물 기준인 pH 5.8~8.5 에는 부족하다. 그래서 완벽하게 걸러준다는 정수기는 좋은 제품이 아니다. 25년 전만 하더라도 물을 돈 주고 사 먹는 게 이해가 되지 않는 시절이 있었다. 하지만 지금은 물을 사 먹어야 하는 시대가 됐다. 편의점에 가보면 많은 종류의 물이 있다. 저마다 깊은 계곡 천연암반수라고 광고를 한다. 여러 가지 선택지 중 하나를 골라야 한다면 물에 pH를 써 놓은 브랜드를 선택하는 게 좋다. 이런 브랜드는 피부와 몸속 장기의 농도를 생각한다는 의미이다.

　　그리고 한 가지 더하면 페트병에 파는 물은 결코 좋은 게 아니다.

한 여름 물을 보관하는 상점이나 편의점을 보면 대부분 문 앞 쌓여 있어 직사광선에 노출된 페트병들을 자주 볼 수 있다. 페트병이 직사광선에 노출되면 비스페놀 A, 포름알데히드 등의 발암 물질이 나온다. 불편하더라도 환경을 위해서 내가 마실 물은 집에서 싸 들고 나오자. 물은 내 몸의 근원이 되고, 세포 조성에 반드시 필요한 물질이다. 좋은 몸을 유지하기 위해 마시는 물이니 좋은 물을 마시자.

Step 3. 똥을 잘 싸는 것도 다이어트다

체내에 수분이 부족하게 되면 여러 가지 증상들이 일어나게 된다. 대표적인 예로, 혈액이 끈적거리고, 머리가 무겁고 아프다. 계속 피곤하고, 잠을 깊이 자지 못 한다. 그리고 변비가 생긴다.

　연어는 자기가 태어난 강으로 되돌아오는 습성이 있다. 강물을 거슬러 올라가는데 좁은 수로를 만나게 되면 연어들은 서로 먼저 가기 위해 부딪히며 몸부림친다. 하지만 문제가 생겼다. 강 상류에서 인간들이 공사를 한다고 물을 막아버렸다. 이렇게 되면 어떤 현상이 일어날까? 수로의 연어들은 부족한 물에서 개체 수는 늘어나고, 이어서 연어들의 이동 통로는 흐름이 더디고 막힐 수밖에 없다. 우리 몸에 수분 공급이 안 되면, 연어들이 올라가야 하는 수로를 막는 역할을 하는 셈이다. 그래서 피가 끈적거리고 순환이 안 되기 때문에 머리로 올라가는 혈류가 막혀서 무겁고 아프게 된다.

　사람의 장은 입부터 항문까지 서양인은 9미터 동양인은 12미터의 길이하고 보통 이야기한다. 일반적으로 동양인은 서양인보다 체구가 작은데 어떻게 3미터나 장 길이가 더 긴가 의문이 들 것이다. 다른 동물을 더 보면 말의 장 길이는 20미터, 호랑이의 장 길이는 7미터 정도 된다. 이건 어떤 음식을 주로 섭취했느냐에 따라 장의 길이가 결정되기 때문이다. 육식 동물의 장이 짧은 이유는 위에서 강한 산으로 먹은 것을 분해하고 장에서는 소금과 물을 흡수하는 역할만 하기 때문에 장이 짧은 것이다. 반면 초식 동물은 다 소화되지 않고 남아있는 식물 섬유들을 발효시키고 영양분을 흡수하기 위해 더 긴 시간이 필요해 장이 길어지게 된 것이다.

장은 소장과 대장으로 나뉘는데, 소장의 경우 음식물의 영양분을 흡수하는 역할을 하고, 대장은 전해질과 영양소, 수분을 흡수하는 기능을 한다. 아울러 대장 내 세균들이 발효와 분해 과정을 맡고 있는데, 대장이 기능을 하다가 수분이 부족하게 되면 대장을 통과하는 시간이 길어지게 되므로 장내 부패가 일어날 수 있다. 이게 흔히 말하는 변비이다.

방귀 냄새를 맡아본 적이 있을 것이다. 방귀를 뀌면 냄새가 발밑으로 깔리는가 아니면 공기 중으로 분산되는가? 방귀 냄새를 확인하기 위해 무릎 밑으로 코를 갖다 대지는 않는다. 자연스럽게 항문보다 위에 있는 코로 냄새를 맡을 수 있다. 이 의미는 방귀가 공기보다 가벼운 기체이기 때문이다. 방귀의 성분은 질소, 메테인, 이산화탄소, 수소, 암모니아, 황화수소, 스카톨, 인돌로 구성되어 있다. 이 중 스카톨이 많으면 악취가 좀 더 심해진다.

전 세계 석학들을 모아놓은 NASA에서는 방귀에 대해서 심도 있게 연구 중이다. 우주 공간에서 폭발력이 있다는 것은 굉장한 위험 요소이기 때문이다. 방귀에 불이 붙는 것은 많은 영상 매체를 통해 알려졌다. 공기보다 가벼운 기체에 점화력이 존재하는 이유는 수소와 메탄가스가 장내 세균들의 활동으로 생성되기 때문이다. 그렇다면 가연성의 이 기체들이 몸 밖으로 빠져나오지 않고 계속 체내에 존재하면 어떻게 될까? 일반 성인 기준으로 숙변의 무게는 3kg~5kg 정도로 알려졌다. 반면 변비로 일주일에 한 번, 두 주일에 한 번 변을 보는 사람들의 숙변 무게는 10kg까지 달한다. 여기서 만들어지는 공기보다 가벼운 기체는 장보다 위에 있는, 폐, 위, 심장을 치고 계속 위로 올라가게 된다. 그래서 입 냄새가 나는 사람들의 대부분은 장이 안 좋은 사람들이다. 근본적인 문제 해결이 없으면 아무리 양치질을 열심히 해도 입 냄새는 가시지 않는다. 마찬가지로 노인이 되면 더 잘 씻어야 냄새가 안 난다고 얘기하지만 씻는 것과 별개로 장이 건강하면 몸에서 냄새가 나지 않을 수 있는 것이다.

　장 관리를 하는 가장 쉬운 방법은 물을 많이 마셔 장내에 수분 공급을 원활하게 해 주는 것이다. 두 번째는 장요근과 단전 주변 마사지를 해 주는 것이고, 세 번째는 줄넘기를 통해서 장의 연동 운동을 도와주는 것이다. 가장 쉬운 수분 공급이 되지 않으면 두 번째, 세 번째는 엔진오일이 없는 엔진에 rpm을 계속 올리는 상황이라고 보면 된다. 그러면 결국 엔진은 망가진다. 가장 쉬운 엔진오일을 보충하는 것, 바로 우리 몸에 수분 공급을 공급하는 것이다. 이제 물 끓어 먹기로 수분을 제대로 공급해 보자.

　물을 마셨으면 잘 싸야 한다. 인간의 기본 욕구, 잘 자고, 잘 먹고, 잘 싸고! 매슬로우의 욕구 5단계를 보면 안전, 소속과 사랑, 존경, 자아실현이 있다. 사람의 기본적인 욕구를 단계로 구분한 것으로 많은 인문학 강의나 성공을 위한 강연에 빠지지 않고 등장하는 이론이다. 자아실현을 위한 완성으로 가는 과정 중 제일 중요한 똥부터 싸고 생각해 보자. 똥도 제대로 못 싸는데 어떻게 자아실현까지 꿈 꿀 수 있

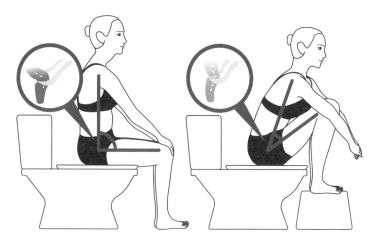

자세에 따라 항문과 연결된 직장을 잡아주는 직장치골근이 조여지거나 느슨해지는 것을 알 수 있다

겠는가. 우리 조상들의 지혜는 똥 싸는데도 발휘된다. 서양의 화장실 변기는 좌식 변기다. 물 내리는 변기의 기원은 B.C 2500년으로 거슬러 올라가게 된다. 그 시절에도 흔히 의자에 앉아서 싸는 좌식 변기는 존재했고, 정교한 화장실 시스템과 수도관도 사용하고 있었다.

반면 우리 조상들이 썼던 화장실은 재래식 화장실이다. 하수 체계의 정교함은 없었지만 인간의 신체 구조상 가장 완벽하고 편하게 대변을 볼 수 있는 쪼그려 싸 자세가 대대로 이어져 내려왔다. 재래식 화장실은 냄새도 많이 나고 조준을 실패하면 발판에 묻고 여기저기 파편이 튀는 일들이 다반사이니 단점이 더 많은 것은 사실이다. 옛날 한옥은 화장실이 방 외부에 있어 방에서 쓸 수 있는 요강도 있었다. 화장실이나 요강을 사용하는 자세를 보면 쪼그려 앉아야 한다. 쪼그려 앉는다는 것 자체가 나이 많은 어르신들은 상상하기 어려운 자세이다. 그렇다면 몇백 년 전 조상들은 어떻게 변을 봤을까? 쪼그려 앉는 자세는 생각보다 무척이나 힘들다. 요즘은 군대에서도 편한 자세의 대명사 '무릎앉아' 자세를 줄이고 있는 추세라고 한다. 근육의 쓰임에 있어서 쪼그려 앉는 자세는 허벅지와 정강이 근육, 발가락에 힘이 버텨줘야 안정된 자세를 유지할 수 있고 쪼그려 앉았을 때 앞뒤로 흔들거리지 않고 균형을 잡을 수 있는데, 요즘은 어딜 가나 쪼그려 앉는 일이 거의 없기 때문에 젊은 친구들도 무게 중심을 못 잡는 경우가 상당히 많다.

다시 똥싸는 자세로 돌아와서, 장을 지나 항문과 마주하는 장을 직장이라고 한다. 직장은 대장 끝에서 항문까지 연결해 주는 약 15~20cm 길이의 부위이다. 평면적인 그림에서 보았을 땐 대장과 바로 이어져 아래로 내려오는 것 같지만, 실질적으로는 항문 쪽으로 방향이 형성된 구조이다. 직장이 항문과 연결되어 항상 열려 있지 않도록 잡아주는 근육을 직장치골근이라고 하는데, 이 근육은 치골에서부터 직장 경계 부분의 뒷면을 고리처럼 감고 돌아가는 근육이다. 평소에는 괄약근 사이를 90°로 유지하여 대변이 통과하지 못하게 잡아주는 역할을 한다. 좌식 시스템은 경직된 직각의 자세가 그대로 유지되는 형태를 하고 있어, 직장을 조여 변이 힘들게 나간다. 하지만 우리 조상들이 하던 쪼그려 싸 자세는 배변하는 동안 직장치골근이 이완되고, 항문 직장 각이 넓어지게 된다. 그러므로 대변이 항문관을 통과할 수 있도록 더 명확한 직선 코스를 만들어 주게 되는 것이다.

현실적으로 집의 변기를 바꾸는 것은 어렵고, 변기에 올라가서 변을 보는 것도 낙상의 위험이 있을 것이다. 이 상황에서 가장 간단한 해결하는 방법은 욕실용 의자 위에 두 발을 올려놓고 변을 보는 것이다. 처음엔 그다지 유쾌한 자세가 아니지만 시간이 지나서 익숙해지면 배변 활동이 굉장히 편안해지는 것을 느낄 수 있다. 욕실용 의자가 없다면 서리를 숙여 다리 사이에 몸을 넣는 자세도 마찬가지로 효과를 볼 수 있다.

20대 후반 여성을 처음 소개받았을 때 "많이 말랐어요."라는 이야기를 듣긴 했지만, 실제로 보니 한국에서 보기 힘든 에티오피아 난민 같은 상태의 여성 분이었다. 키는 155cm 정도인데 몸무게는 38kg밖에 나가지 않았다. 직장을 다니다가 상사와의 트러블 때문에 퇴사한 후 잘 먹지도 않고 물도 마시지 않고 매일 방에만 틀어박혀서 이력서만 내고 있으니 부모 입장에서는 환장할 노릇이다. 음식을 먹으면 배가 살살 아픈데, 화장실에 가면 나오지 않으니 음식도 잘 안 먹게 되고, 음식을 안 먹으니 물도 안 먹는 건 당연하고, 이때부터 생리 양도 줄더니 생리도 멈췄다. 이 악순환의 반복을 꽤 오랫동안 하고 있었다. 악순환의 반복은 대단한 이슈로부터 시작되는 것은 아니다. 처음엔 그냥 스트레스 정도였는데 그 스트레스로 하나씩 무너지면서 악순환의 고리가 연결되는 것이다.

우리가 스트레스 받는 과정을 살펴보자. 심장을 뛰게 하고, 소화를 시키고, 놀랐을 때 아드레날린을 방출해서 가슴이 철렁 내려앉는 느낌이 들게 하는 모든 과정을 자율신경계(autonomic nervous system)라고 표현한다. 여기서 활성화되는 자율 신경계는 교감신경계(sympathetic nervous system)와 반대작용을 하는 부교감신경계(parasympathetic nervous system)로 나뉜다.

예를 들어, 동물원에서 차를 타고 다니면서 구경하는 사파리는 성에 차지 않아서 직접 만지고, 느끼고, 교감하겠다고 아프리카에 여행을 갔다고 해보자. 꼬박 하루를 들여 아프리카에 도착해서 호텔에서 하루를 묵고, 아침에 일어나서 식사를 하고 산책을 하려고 나왔는데 호텔 문 앞에 나와서 40미터쯤 지나니 저 앞에 누렁이 한 마리가 있다. 아프리카에도 누렁이가 있구나 생각하고 자세히 보니 누렁이가 아니라 사자였다. 심지어 반갑다고 뛰어온다.

이 상황을 내 몸에 일어나는 반응으로 살펴보면, 먼저 아침 식사를 할 때는 당연히 마음이 편하고 긴장감이 없는 상태이다. 이때는 부교감신경이 작용하여 동공은 수축되고, 침샘을 자극해서 침이 분비되고, 심장은 천천히 뛰고, 소화기관의 원활한 자극으로 소화력이 높아지며, 성욕이 넘치는 상태이다. 산책을 시작하고 저 앞에 물체를 보면서 동공을 확장해서 빛을 모아 정보를 받아들이며 물체를 확인한다. 저 앞에 누렁이가 사자라는 걸 확인하는 순간부터 심장은 미친 듯이 요동치기 시작한다. 40미터쯤 나왔으니 뒤로 돌아 뛰어가면 살 수 있겠다는 생각이 든다. 이 때 필요한 건 뭐? 스피드!

살기 위해서 달리라고 심장이 뛰는 소리가 내 귀에까지 들린다. 팔다리로 피가 뿜어져 들어가면서 몸의 모든 소화 기능은 올 스톱 상태로 전환된다. 죽게 생겼는데 소화를 하기 위해 피가 소화기관에 몰려 있으면 사자한테 소화가 될 수 있다. 침샘의 분비도 억제되고, 소화기관도 멈추고, 성욕도 멈추고 내 몸의 모든 시스템은 도망가기 위한 상태로 전환되는 작용을 하는 것이 회피 도망 반응, 교감신경이다. 스트레스 상태는 교감신경의 작용이 증폭돼 있는 상태이다. 사자가 나를 먹기 위해 달려오고 있는 상황에서 번식을 위해 성욕이 생기는 상황은 존재할 수 없다. 그렇기 때문에 스트레스 상황에서는 소화 기능이 멈추고 불임이 될 가능성이 크다.

다시 젊은 여성 고객으로 돌아와서, 스트레스 상황에 맞닥뜨리게 되면 모든 장 기능은 멈춰버린다. 극도로 예민한 이 여성은 스트레스 상황에서 좀 진정할 수 있는 방법을 찾기 위해 여행을 권했고, 장이 따뜻해지는 방법과 물 마시는 방법, 화장실에서 쪼그려 싸 자세를 알려드리고 상담을 해 주었다. 여행에 대한 스트레스도 있어서 처음엔 당연히 효과가 없었으나 며칠이 지나고 나니 몸이 조금 편해지는 느낌을 받았고, 여행지에서 갑자기 변이 휘몰아쳐서 나오고, 그 다음부터는 변을 보는 일이 차차 더 편해졌다. 대변 여행을 마치고 나서 다시 일상으로 돌아온 후 화장실에 가는 게 어렵지 않다는 답이 돌아왔고, 지금은 살도 다시 찌고 일상으로 돌아왔다는 후기를 전해줬다.

살다 살다 똥 싸는 자세도 알아야 하나 싶겠지만, 장의 건강을 위해서는 반드시 알아둬야 한다. 똥만 잘 싸도 장이 편안해지고, 무게를 줄일 수 있는 기반을 마련할 수 있다.

Step 4. 소화에도 휴식을 줘야 한다

다이어트의 필수 조건은 몸이 따뜻해지는 것, 수분 공급, 변을 잘 보는 것 그리고 마지막으로 간헐적 단식이다.

간헐적 다이어트에 대해서 많이 들어봤을 것이다. 그리고 시도해 본 사람도 상당히 많을 것이다. 새로운 다이어트 방법이 한 번 유행하기 시작하면 전국에 다이어트가 필요한 많은 사람들이 시도해 보고 빠른 포기를 반복한다. 간헐적 단식 다이어트의 문제는 간헐적 폭식으로 이어지는 것이다. 내 몸의 컨디션과 정확한 원리를 이해해야 몸에 적용을 할 수 있다. 무턱대고 따라 하면 몸만 망가진다.

간헐적 단식의 핵심은 간의 휴식이다. 간은 복부 오른쪽 위에 있으며, 약 1.2kg 무게로 우리 몸에서 가장 큰 장기이다. 간은 소화작용, 호르몬 대사, 해독작용, 살균작용 등 인체 내 대부분의 화학물질을 다루는 전담반이라고 볼 수 있는데, 해독기능과 여러 조직에서 필요한 영양소를 만드는 일을 포함해 간이 하는 일은 알려진 것만 대략 500여 가지이다. 간은 영양소를 과잉 섭취했을 때 그 영양소를 지방으로 전환하여 저장해 두는데, 저장된 지방이 너무 많아지면 간세포마저 파괴하는 증상을 지방간이라고 한다. 살이 찐 사람들과 요요현상이 반복되는 사람들에게 공통적으로 나타나는 현상이 지방간인데, 이 때문에 절망하긴 이르다. 간은 신체 기관 중 유일하게 재생 능력이 있는 장기여서 일부 잘라낸다고 해도 원상태로 복원이 된다.

우리가 음식을 먹고 처리하는 과정은 대략 8시간이 소요된다. 12시에 점심을 먹었으면 저녁 8시에 내 몸에서 음식을 처리하는 게 끝나는 것이다. 그런데, 저녁 7시에 저녁을 먹었다면? 무얼 먹었느냐에 따라 시간의 차이가 있겠지만, 이 8시간이 리셋 되어 대략 새벽 3시에 모든 소화 시스템이 오프 되는 것이다. 여기에 더해 간이 우리 몸을 청소하는데 약 4시간이 필요하다. 음식을 먹고 처리하는 시간 8시간 + 간이 청소하는 시간 4시간 = 소화기관을 쉬게 하는 시간 총 12시간 이 필요하다.

간헐적 단식은 저녁을 9시에 먹었으면, 다음 날 아침 9시까지 물만 먹고 장기를 쉬어주는 게 핵심이다. 잠들기 전에 야식을 먹어야 하는 사람들이 있다. 밤 12시에 야식을 먹었으면 다음 날 점심까지는 아무것도 안 먹는 것이다. 12시간이 아니라 그 이상으로 시간을 더 늘리는 것도 좋다. 현대인들은 몸을 활발히 움직일 필요가 없고 심지어 먹을 게 필요하면 24시간 배달을 이용할 수 있다. 그러다 보니 움직이는 게 점점 귀찮아지게 되고 웬만한 곳은 차로 이동을 하고 있다. 주차도 가급적 내 집에서 한 발자국이라도 더 가까운 곳에 주차하기 위해 주

차장을 몇 바퀴를 돌기도 한다. 농경 사회처럼 땀흘려 일하는 시대가 아니기 때문에 열량의 소비 역시 많지 않다. 그런데 먹는 양은 점점 많아지고 그러다보니 영양소는 남아돌아 쓰이지 못한 에너지는 지방으로 전환되어 지방간이 되는 것이다. 지방간으로 몸이 힘들어지면서 자연스럽게 살이 찌게 되고, 살이 찌면서 체력이 떨어지고 우울감까지 동반된다.

12시간 공복을 지키는 것은 다이어트에 있어서 굉장히 중요하다. 소화기관은 음식물이 없을 때는 반드시 비어 있어야 하는 공간이다. 위는 음식물이 들어오면 정해진 시간만큼 일한 후 그 외에는 비워져 있어야 하지만, 우리는 아침, 간식 + 차, 점심, 간식 + 차, 저녁, 술 + 야식을 먹는 것이 당연한 시대에 살고 있다.

한국인들은 무척이나 많이 먹는 민족이다. 임진왜란 당시 명나라 장수 이여송은 조선인들이 먹는 양을 보고 놀라 "백성들이 이렇게 많이 먹으면 국가 운영은 어떻게 하냐"고 묻기도 했고, 구한말 오스트리아 여행가 에른스트 폰 헤세 바르텍은 그의 기록에서 "일본에 갔을 때, 자신들의 이웃이 자신들보다 3배가량 더 먹는다고 말했는데, 정말로 그랬다"라는 기록을 남겼다.

일본의 한 예능에서 스시 100개를 먹고 몸에 어떤 변화가 일어나는지 촬영을 했다. 158cm 47.1kg 여리여리한 체구의 여성 출연자가 50분 만에 약 4kg정도 되는 100개의 스시를 다 먹고 실험이 종료됐다. 배가 나온다거나 하는 외형상 변화는 거의 없었지만, 3D CT 촬영에서는 큰 변화가 있었다. 위장이 약 66배가 늘어나 있었다. 위장은 굉장히 탄성이 좋아서 4kg가량의 음식을 담기 위해 거의 아랫배까지 늘어난 상황인 것이다.

한국인들은 먹는 것에 대해서는 진심인 민족이다. 꾸준히 먹으니 위장은 쉴 틈 없이 계속 움직여야 하고, 많은 양을 빠르게 먹기 때문에 정상적인 위장보다 사이즈는 늘어나 있게 된다. 늘어난 위장 때문에 윗배가 나와 보이고, 빠르게 먹기 때문에 포만감을 느끼기 전에 이미 많은 음식물을 위장으로 보낸다. 많은 양을 먹으면 소화시간이 길어지고, 간이 일하는 시간도 더 늘어나게 된다. 결국 소화기관이 쉴 수 있는 시간이 줄어들게 되는 것이다. 비만인으로 살아가지 않으려면 소화기관을 비워야 한다. 간헐적 단식으로 12시간 이상의 시간을 비워 놓아야 정상적인 위장으로 돌아가고, 간이 일할 수 있는 환경을 조성할 수 있다. 간에 좋은 것을 먹기보다 간이 쉴 수 있도록, 채우려 하지 말고 비우자. 비우면 건강으로 채워진다.

3장
바른 자세로
돌아가기

아는 듯 모르는 듯, 바른 자세

자세는 우리 몸에 어떤 영향을 미칠까? 아니 근본적으로 자세는 무엇일까? 어떻게 해야 바른 자세를 할 수 있을까? 우습게도 바른 자세가 중요하다는 것은 누구나 알고, 바른 자세를 해야 한다고 생각은 하지만, 어떤 자세가 바른 자세인지 정확하게 알고 있는 사람은 많지 않다. 바른 자세의 가장 핵심이 되는 포인트는 허리 자세이다. 바른 자세에 대해서 더 알아보기 전에 허리 자세를 어떻게 해야 바른 자세를 유지할 수 있을지, 내 몸이 왜 틀어지는지 원인부터 간단히 살펴보자.

앞에서 설명한 바와 같이 우리는 보통 통증이 느껴지면 본능적으로 통증의 반대 방향으로 몸을 틀어버리게 되는데 그 과정 중 우리 뇌는 통증이 덜 느껴지는 방향에 안정감을 느끼게 되고 나도 모르게 계속해서 그 자세를 취하고자 노력하게 된다. 이는 실제로 몸에서 통증을 느끼지 못할 때에도, 뇌의 반응으로 무의식 중에 몸을 틀게 되는 것을 의미한다. 통증을 느낄 때 회피 반응으로 가장 쉽게 볼 수 있는 행동 중 하나는 다리를 꼬는 동작이다. 여성들이 다리를 꼬는 행동의 시작은 각선미를 뽐내기 위해서일 수도 있겠지만, 짧은 치마를 입었을 때 다리를 자유롭게 움직이지 못하는 불편함을 느끼면서부터인 경우도 많다. 몸의 불편함을 덜기 위해 몸을 뒤척이다가 다리를 꼬게 되면서 따라오는 순간적인 편안함을 느끼고 어느새 유지하게 된다. 그렇게 무의식적으로 해당 동작으로 오랜 시간을 보내고 반복되다보면 자세를 이루는 습관으로 이어지게 된다.

다리는 꼬는 경우, 평균적으로 양쪽 다리 중 짧은 쪽 다리보다는 긴 쪽 다리를 위로 올리는 경우가 많다. 이렇게 불편함을 덜기 위해서 시작된 사소한 행동들이 약 6개월 정도 유지가 되면 어느덧 그 자세는 가장 편한 자세가 되어 있고, 뇌에서는 이 자세를 바른 자세로 인지하게 된다. 그리하여 서서히 체형이 비틀리고 자세가 무너지게 되는 것이다. 체형이 비틀어져 있으면, 여성들은 아랫배가 나오거나 생리통이 심해지는 것을 경험할 수 있다.

여기서 궁금증 하나, 남성들에 비해 여성들이 다리를 더 많이 꼬는 이유를 아는가? 보통의 남성들은 다리를 벌리고 앉는 경우가 많아서 골반의 무게 중심이 균형 있게 분배가 되는 편이다. 하지만 여성들은 치마를 입기도 하고, 다리를 모으고 앉는 게 정숙한 자세라고 생각하는 문화에서 어쩔 수 없는 결과이기도 하다. 남성에 비해 큰 골반을 소유한 여성이 다리를 모으고 앉기 위해서는 무게 중심의 불균형이 발생할 수밖에 없는 것이다. 게다가 앉아있을 때 하체가 몸통을 받치고 있게되니 피로감이 쌓이고, 이것을 풀어보려고 다리를 꼬았을 때 일시적으로 혈액이 순환되는 보상을 받게 되면서 그 편안함에 현혹되고야 말기 때문이다. 무게의 불균형으로부터 초래된 불편함을 다리를 꼬아서 순간적으로 받는 조금의 안락함과 바꾼 결과는 슬프게도 체형이 뒤틀리게 된다는 것이다.

그렇다고 남성들은 비틀림이 덜한가 보면, 남성이 무심코 하는 행동 중 지갑을 뒷주머니에 넣고 다니는 것이 문제를 일으키기도 한다. 바지 뒷주머니가 늘어날 정도로 오랫동안 지갑이 뒷주머니에 있었다면 좌우 대칭이어야 할 골반의 위치는 변형이 올 수밖에 없다. 골반의 위치가 무너지면서 허리 통증과 소화불량 어깨, 목의 통증까지 찾아온다. 게다가 40대가 넘어가면서부터 복병이었던 전립선의 문제도 경험하게 될 것이다. 위의 예를 통해서 무심코 지나쳤던 기억들이 떠오를 것이다. 과연 나는 어떠한가?

비틀린 자세, 어떻게 해결할까?

자세가 틀어지면 여성들은 생리통, 생리불순, 소화불량, 두통 등이, 남성들은 전립선 문제, 소화불량, 어깨와 목의 통증 등의 문제들이 발생한다. 이런 문제들은 보편적으로 나이가 들면서 드러나는 불편함이라고 생각하고 친구처럼 살아가게 되면 크게 걱정은 없겠지만, 어떻게든 개선해서 아프지 않고자 한다면 어떻게 해결하는가는 아주 중요한 선택이 될 것이다.

약으로 치료하겠다고 하면 분명 빠르게 개선되는 효과를 볼 수 있을 것이다. 하지만 백만명 중 한 명이 생기는 부작용 중에 내가 그 한 명이 될 수도 있다는 것을 고려해야 한다. 아주 적은 확률이지만, 나에게 부작용이 일어난다면 씻을 수 없는 다른 상처를 남기게 되기 때문이다. 대표적인 부작용 사례로 감기약 부작용인 스티븐 존슨 증후군이 있다. 스티븐 존슨 증후군은 피부와 점막에 출혈성 발진이나 수포가 생기는 자가면역질환계의 특징을 보이는 부작용이다. 대게는 젊은 사람들에게서 많이 나타나는데, 발병을 예측하고 예방하는 것은 거의 불가능하며, 치료에 있어서 완치라는 것도 거의 불가능하다.

외국 사람들은 마술쇼를 볼 때 즐기자는 생각으로 본다면, 한국 사람들은 어떻게 속이는지 손동작에 집중하고, 어디에 숨기는지, 어디에서 나오는지 유심히 관찰하는 자세를 가진 사람이 대부분이다. 이런 모습과는 전혀 다르게 질병이나 질환에 있어서는 어찌된 영문인지 흰 가운의 권위에 절대복종 한다. 의사를 만나러 병원에 가면 모든 의사가 나를 고쳐 줄 것이라는 믿음으로 찾아가게 된다. 큰 대학병원에 아주 유명한 의사에게 특진 예약을 하고 2개월 길게는 6개월의 시간을 기다려 만났지만, 진료 시간은 그리 길지 않다.

그럴 수밖에 없는 것이 수많은 사람들이 유명한 의사 선생님을 기다리고 있기 때문에 물리적으로 나 하나를 위해 많은 시간을 할애할 수 없는 것이다. 게다가 그 의사의 입장에서는 수년 동안 만났던 스쳐 지나는 환자들 중의 하나이기 때문에 환자마다 최선을 다하지만 환자의 모든 상황을 파악할 수는 없는 게 현실이다.

의사 입장에서도 본인이 다 알아서 해 주기보단, 정확하게 자신의 질병을 파악하고 치료하기 위해서 노력하는 환자에게 도움을 주고자 하는 마음이 더 커지지 않을까? 좋은 대학에 가기 위해 비싼 과외와 족집게 선생님을 투입해도 학생 스스로 공부하는 노력이 없으면 아무리 훌륭한 선생님도 좋은 대학을 보낼 수 없는 것과 같다. 즉, 내 노력이 내가 불편한 것을 바꾸는 첫 번째 필수 조건인 것이다.

이제 주체를 나로 바꿔보자. 바른 허리 자세를 만드는 방법은 무엇일까? 허리를 펴는 것이다. 말처럼 쉽게 되는 것은 절대 아니다. 그리고 조금만 허리를 펴고 있어도 생각처럼 유지되지 않는다. 금방 허리가 아파오고, 앉아 있을 때 책을 보거나 모니터를 볼 때도 금방 불편해진다. 그렇다면 어떻게 해야 허리를 펴는 자세를 유지하고 바른 체형이 될 수 있을까?

핵심은 어깨에 있다. 어깨를 펴는 것이 바른 허리 자세를 유지하기 위한 첫 번째이자 마지막 조건이다. 어깨와 허리가 또 무슨 상관인지 의문이 든다면, 어깨를 편 상태에서 허리를 구부려 보거나 허리를 곧게 편 상태에서 어깨를 편한 상태로 늘어트릴 수 있는지 확인해 보자. 생각보다 불편한 것을 느낄 수 있다. 어깨를 편 상태 즉, 날갯죽지를 최대한 척추 쪽으로 모아서 어깨를 폈을 때는 허리를 구부정하게 앉는 게 더욱 불편해 진다. 이는 어깨를 펴면 자연스럽게 바른 허리 자세가 되는 것이고, 허리가 곧게 펴지는 것이다.

이번엔 벽에 머리, 어깨, 등, 엉덩이, 손등, 발뒤꿈치를 대고 서보자. 어깨너비로 다리를 벌리고 바르게 서서 손바닥이 앞을 향하게 하여 어깨를 펼친 이 자세를 해부학적 자세라고 하는데, 가장 완벽한 자세라고 할 수 있다. 이 자세가 가장 완벽한 허리 형태를 가지게 하며, 바꾸어 말하면 어깨를 펴면 가장 바른 허리 자세를 갖출 수 있다는 뜻이다. 건강의 첫 번째 시작은 어깨를 펴는 것이다. 바른 자세를 유지할 수 있는 조건이 되어야 나머지 건강에 대해 생각해볼 수 있다. 너무 간단해서 우습게 느껴지겠지만, 실제로 해보면 허리를 펴는 것만큼 어깨를 펴는 것도 상당히 힘들다는 것을 체감하게 될 것이다. 아울러 어깨를 펴다보면 등의 아래로 3분의 2 지점인 요방형근 근처가 뻐근하고, 당기

자연스럽게 허리가 곧게 펴지는 해부학적 자세이다. 어깨를 펴고 손바닥이 앞을 보게 한다

는 느낌이 들고 불편할 수 있다. 이는 어깨를 펴는 과정 중 당연하게 오는 근육통이다. 시간이 지나면서 어깨가 안정적으로 펴지면 통증은 천천히 자연스럽게 사라지게 된다.

인간이 건강을 찾기 위해 노력하는 시기는 보통 언제일까? 신체 활동량이 많아지는 시기의 청소년들은 밖에서 뛰어다니면서 놀아야 하는데 현실은 좁은 책상과 의자에 앉아 하루의 절반 이상을 보내게 된다. 대한민국에서 살아가는 청소년들은 학교, 학원, 집 어디서건 가만히 앉아서 생활하는 것도 모자라, 코비드19의 대유행이 몰고온 대면 모임의 제약이 극심해지면서 온라인 수업이나 온라인 과외 등으로 교육을 받으며 집 밖에 나갈 일 조차 없어지니 활동량이 턱없이 부족한 것을 넘어 거의 없는 수준에 도달해 있다.

성인이 되어서는 깨어있는 대부분의 시간을 육체적 노동과 정신적 노동으로 보내고 나면 몸을 관리할 시간이 없다고 느껴지는 게 현실이다. 그렇게 나이가 들고 중년을 지나 황혼기로 접어들 때쯤에는 경제적인 안정과 시간의 여유는 생겼지만 그동안 습관이 된 틀어진 자세와 무너진 생활 패턴으로 인해 내가 썼던 몸으로부터 역습을 당하게 된다. 100세 시대를 사는 우리, 곧 120세 시대를 살아가야 할지도 모르는 다음 세대들 모두 몸을 인생 초중반에 무너트리고 중후반부에 고쳐 쓴다는 것은 얼마나 비효율적인 시스템인 것인가. 운동선수들이 많은 연봉을 받으며 재능과 기량을 뽐낼 때 일반인들은 그저 그들이 받는 연봉에만 관심이 많다. 하지만 은퇴 후 몸을 망가트리는 땀과 노력 뒤에 다가오는 통증에 대한 합의금이라는 걸 생각해 보면 그 금액이 절대 많지 않다는 것을 알게 된다.

지금 당장 건강해지기 위해 내 몸을 관리하자고 하니, 제일 처음 무엇을 떠올렸는가? 헬스클럽, 요가, 필라테스 이런 것들을 떠올렸을 것이다. 6개월 50% 할인 하는 곳으로 달려가 주저 없이 6개월 할부로 카드를 긁는다. 하루 이틀 열심히 운동을 하다보면 안 쓰던 근육에 부하가 걸려 근육통이 뒤따른다. 그렇게 사흘째 되는 날 내적 갈등에 빠지고 하루만 쉬기로 결정한 후 나흘째부터 VVIP 회원으로 레벨업 하는 경험은 누구나 있을 것이다.

필자에게 건강해지는 방법이 운동인지 묻는다면 반은 맞고 반은 틀리다고 답할 것이다. 건강해지기 위해서는 반드시 운동이 필요하지만, 전제 조건이 있다. 바로 바른 체형이다. 우리의 몸을 지지해 주는 척추 관절이 바로 선 후에야 운동이 시작되어야 한다. 그래야 건강한 몸을 이룰 수 있는 것이다. 척추가 틀어진 채로 운동해서 바디프로필을 찍어보면 더 잘 알 수 있다. 식스팩이 생겼는데 팩의 위치가 틀어져서 나타나 더 눈에 띄기 때문이다.

부모들은 자녀에게 바른 자세를 요구하며 "허리 펴"라는 말과 함께 등짝 스매싱을 아끼지 않는다. 어떤 부모는 "옛날 서울역 지하 노숙자들 중에 허리를 곧게 편 사람이 없더라. 너도 그렇게 안 되려면 허리를 펴야 한다."라는 전설같은 이야기도 곁들이며 의욕을 돋아주려 노력한다. 하지만 현실은 허리를 펴고 5분 정도 있으면 등이 아파오게 된다. 그러면 어느새 원래의 구부정한 자세로 돌아가기가 일쑤이고, 또 잔소리로 이어진다. 여기서 잠깐, 부모는 허리를 곧게 펴고 있는지 돌아보자. 앞에서 언급한 것처럼 허리를 펴는 것은 어깨를 펴면 가장 간단하게 허리 자세를 잡을 수 있다. 지금이라도 해보자. 어깨와 가슴을 여는 것에 집중하면 근육교정의 80% 이상이 끝난 것이다.

보조기구 사용, 옳은 선택일까?

근육교정을 통해 내 힘으로 온전히 바른 체형을 만들고 건강한 생활을 할 수 있는 날이 오려면 얼마나 시간이 걸릴까? 반대로 바른 체형을 만들기 위해서 보조기구의 힘을 빌리면 얼마나 걸릴까?

우리는 문명이 발달하면서 편한 것들에 익숙해졌다. 교정 밴드라는 것이 시장에 나왔고, 땀을 흘리지 않아도 건강해질 수 있다고 해서 홍삼이나 오메가3 등 건강식품을 밥처럼 먹고 산다. 시장에 나와 있는 교정밴드를 착용하게 되면 근육이 밴드에 기대게 되므로 근육이 힘을 잃고, 결국 근육교정이 불가능해진다는 것은 아무도 모른다.

중세 시대 코르셋은 16세기 중반부터 17세기까지 대유행했다.

프랑스에서 귀부인들에게 허리사이즈를 10~13인치를 유지하라는 여왕의 칙령으로부터 시작된 것이었다. 메디치 가문의 한 여인은 철제 코르셋으로 13인치(33센티)를 유지했다는 기록이 있는 것처럼 당시 살인적인 이 유행은 많은 여성들에게 풍만한 가슴과 엉덩이를 선물해 주었다. 하지만 코르셋은 새로운 문제를 야기했다. 잘록한 허리를 얻기 위해서 갈비뼈의 변형, 소화불량, 호흡곤란 등 수많은 문제를 발생시켰고, 충격적인 사건이 발생하기에 이른다. 코르셋에 기대어 살다보니 근육이 힘을 잃어버린 한 귀부인이 코르셋을 풀자 허리가 부러져 사망한 사건이다.

다시 말하지만, 근육이 보조기구에 기대면 그 근육은 혼자 힘으로 설 필요가 없어진다. 힘을 쓸 필요가 없어진 근육은 스스로 적은 에너지를 소비하게 되며, 보조기구에 더욱더 기대게 된다. 이때 보조기구가 없어지면 근 소실로 인해 더욱 통증이 심해지는 상황을 맞이하게 되는 것이다. 한 달 동안 팔에 깁스를 하고 풀었을 때 제대로 움직이지 못하는 것을 경험한 사람이라면 더욱 절실하게 공감할 수 있을 것이다.

근육교정은 올바른 패턴으로 근육을 강화시키는 훈련을 하는 것이다. 근육을 바로 세운다는 것은 스스로 바른 체형으로 갈 수 있게 된다는 것을 의미한다. 근육을 바로 세우면 지속적으로 받을 수 있는 혜택을 선물받는 것이다. 바른 자세와 건강한 생활을 위한 첫 번째 발걸음인 것이다. 내 몸의 건강은 매일 얼마나 성실하게 노력하느냐에 따라 보조기구의 도움을 받지 않아도 시간을 단축할 수 있다. 도구는 언제나 편리함과 빠른 결과물을 제공하는 것처럼 보이지만, 도구가 사라지는 순간 이전보다 나빠진 몸과 마주해야 할 것이다.

습관과 환경 개선 프로젝트

습관의 사전적 의미는 어떤 행위를 오랫동안 되풀이하는 과정에서 저절로 익혀진 행동 방식이라 한다. 이번에는 내 습관, 일하는 작업 환경에 대해서 정확하게 인지하고 있는지 확인해 보자.

숨도 쉬기 힘든 무더운 여름 뙤약볕에서 사과가 익어간다. 작은 열매에서 시작되어 탐스럽게 성장하는 모습을 볼 때마다 농부의 마음은 풍요로워진다. 시간이 되어 잘 익은 사과를 추수해야 할 때가 찾아왔다. 한 손은 사과를 잡고 사과가 열린 반대 방향으로 구부려 사과를 수확한다. 수확한 사과를 바구니에 담는 과정을 여러 차례 반복하게 된다. 이렇게 같은 동작을 계속하니 문제가 생겼다. 목과 허리가 너무 아프다. 하나 두 개 시작할 때는 그렇지 않았지만, 상자가 많아지고 작업량이 많아지면서부터 문제가 달라졌다. 사과나무는 사람보다 큰 편이다. 어쨌든 나보다 큰 사과나무에서 사과를 따기 위해선 계속해서 목을 뒤로 젖히고 작업을 해야 한다.

그렇게 되면 우리의 목은 어떻게 변할까? 앞서 기술한 척추의 형태에 대해 떠올려보면 척추에는 굽이라는 굴곡이 형성되어 있는데, 굽이의 굴곡보다 더 큰 각도를 만들어서 꾸준히 같은 형태로 작업을 하게된다. 이러한 작업은 목에 심한 무리를 주게 된다. 보통 뒤에서 추돌하는 교통사고의 충격과 같은 형상을 만들게 되는데, 뒷덜미 인대가 강하게 당겨져 뼈처럼 솟아오른 형태로 변형되기도 한다. 이 상태가 계속 유지되면 목과 어깨의 근육이 심하게 긴장되어 두통, 치통, 눈의 통증과 삼차신경통까지 진행되는 경우가 많다.

2007년 봄, 흐드러지게 벚꽃잎이 날리던 어느 날. 머리가 너무 아파서 고개를 드는 것도 힘들어서 사람을 볼 때 어색하게 45°로 고개를 들고, 눈을 치켜뜨고 앞을 봐야 사람을 볼 수 있고, 게다가 소화도 잘 안되어 하루에 한 끼도 제대로 먹지 못해 컨디션이 엉망인 분을 만났다. 50대인 이 여성분은 목 수술을 위해 내일 입원하고, 모레 수술을 하기로 스케줄을 잡은 상태였는데, 우연히 같은 건물에서 사업하시는 사장님 소개로 급하게 만남을 가졌다. 이분이 아팠던 것은 알고보니 남편이 운전하던 차가 후진을 하다가 전봇대를 받았는데, 순간적으로 충격이 너무 컸지만 차주 과실이라 보험 처리도 제대로 할 수 없고 당시에 일이 너무 많아서 치료는 꿈도 못 꾸고 방치했던 것이다.

이렇게 교통사고로 인한 상해를 편타성 상해라고 하는데, 자동차를 갑자기 멈추거나 뒤에서 추돌했을 때 머리를 격렬하게 움직이며 부딪히면서 입는 상해이다. 머리를 심하게 부딪친 상태에서 목은 점점 더 긴장하며 굳어졌다. 처음엔 목과 어깨만 아프다가 시간이 흐르고, 계절이 바뀌면서 머리가 너무 아파서 생활할 수 없는 상태가 된 것이다. 병원에서는 원인이 목에 있으니 수술해야 한다고 진단하고 수술 날짜를 확정했던 것이다.

목이 문제인 것은 맞지만 이 여성분의 두통과 소화불량의 원인은 생각보다 간단했다. 목뒤에 붙어있는 뒷덜미인대(nuchal ligament,항인대) 즉, 후두부(머리 뒷통수)부터 경추 7번(목뼈 7번)에 붙어 있는 인대의 긴장도가 높아진 상태에서 비롯된 것이다. 긴장도가 높아도 너무 높아서 모든 사람이 뒷덜미 인대를 뼈로 오해할 정도였다. 이 인대는 동물들에게서 쉽게 볼 수 있다. 동물들 중 특히 말이 제일 크고, 강하게 발달 돼 있다. 개가 새끼를 옮길 때 어떻게 옮기는지 본적이 있는가? 뒷덜미를 물고 이동한다. 새끼 동물들은 모체가 뒷덜미 인대를 물리고

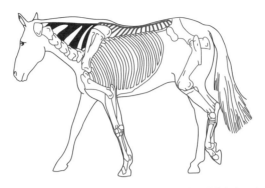

크고 강하게 발달한 뒷덜미 인대를 가진 말과 달리 인간은 인대가 드러나지 않는 것이 정상이다

있을 때 편안함을 느낀다고 한다. 내가 동물이 아니고 일반적인 사람이라면 고개를 숙였을 때 이 인대가 드러나지 않아야 한다. 이 여성분처럼 뒷덜미 인대가 뼈처럼 느껴질 정도로 강하게 당겨진 분에게 필요한 것은 근육교정이다. 충분한 마사지와 복부 근육이 안정 되고 나니 좀 편안함을 느끼고 푹 잘 수 있는 컨디션까지 회복되었다. 그리고 수술 잘 받으시라는 인사를 마지막으로 헤어졌다. 그런데 다음 날 다시 연락이 왔다. 병원에 입원하기 위해서 짐을 싸고 있는데, 생각보다 컨디션이 좋아서 근육교정을 더 받고 싶다는 내용이었다. 한 달여간 근육교정을 통해서 뒷덜미 인대는 완전히 풀어졌고, 그로 인해 두통과 소화불량도 함께 사라지게 되었다.

　내 힘으로 근육을 바로 세우는 것이 가장 중요하지만, 이 분처럼 습관과 환경을 개선하기도 전에 위급한 순간이 오면 근육교정을 통해서 바른 체형을 먼저 갖춰 놓는 것을 권한다. 사람의 근육은 대략 600개 이상이다. 여기서 대략이라고 표현한 이유는 추골과 추골 사이를 잇는 근육은 개개의 명칭이 붙어있지 않아 정확한 개수를 측정할 수 없기 때문이다. 이 모든 근육이 안정되게 제 기능을 할 수 있다면 관절의 틀어짐, 자세의 비틀림은 완벽하게 제어가 가능하다. 내 삶의 습관과 환경을 당장 바꿀 수 없다면 이제부터 노력이 필요하다. 내일 당장 죽더라도 오늘까지는 내 두 발로 걸어 다녀야 하지 않겠는가! 남이 해 주는 편한 음식을 좋아하고 내 몸을 움직여서 귀찮은 관리를 하지 않으면, 남이 해 주는 음식을 남이 떠먹여 줘야 먹을 수 있는 시간이 속히 올 수 있다.

현재를 살아가는 바른 자세

텔레비전이 전부였던 시절, 텔레비전을 바보상자라고 불렀다. 텔레비전을 많이 보면 생각이 없어지고, 멍해져서 사람이 바보가 된다고 어른들의 우려가 반영된 별명이다. 텔레비전만 보던 시절을 지나 컴퓨터라는 기계가 보급되고, 지정된 장소에서 써야 하는 제약이 있었던 컴퓨터를 손바닥으로 옮겨오는 혁명적인 시대를 연 것이 바로 스마트폰이다. 이제는 드라마 한 편을 보기 위해 집까지 뛰어가서 시간을 맞춰 텔레비전을 켜야 하는 불편한 낭만은 사라졌다. 스마트폰이 보급되면서 사람들은 손바닥 안에 세상의 방대한 지식을 갖게 되었고, 깨어나는 순간부터 잠들 때까지 손에서 뗄 수 없는 분신과도 같은 영혼의 동반자가 되었다.

이제 스마트폰과 우리 몸의 전쟁이 시작된 것이다. 스마트폰을 보고 있는 자세는 목에 20kg 이상의 하중을 부여한다. 그래서 일자목 혹은 거북목이라는 단어가 이젠 생경하지 않다. 스마트폰이 보급되기 전에는 없었던 단어이다. 직관적으로 사용할 수 있도록 고안되었기에 누구나 쉽고 빠르게 작동하는 방법을 배울 수 있고, 사용할 수 있다. 그래서 유모차에 앉아 있는 아이도 스마트폰을 다룰 줄 안다.

성경의 처음 시작은 창세기이다. 처음엔 에덴이라는 풍요로운 동산에서 아무런 걱정, 근심, 고통 없이 생활할 수 있었지만, 먹지 말라던 선악과를 먹는 죄를 짓고 그에 대한 벌로 에덴동산에서 쫓겨나게 된다. 그 후 여자는 출산의 고통을 겪게 되었고, 남자는 땀을 흘려야 땅의 소산을 먹을 수 있게 됐다. 이를 현대적 의미로 바꿔보자면 농경 시대에서는 굳이 운동이라는 단어에 큰 의미를 부여할 필요가 없다. 새벽에 해 뜨면 나가서 일했고, 저녁에 해가 지면 자는 단순하고 지루한 일상이었을지라도 성인병의 비율은 낮았다.

현재는 도서관에 가지 않아도 인터넷으로 모든 지식과 정보를 얻고, 음식점에 찾아가서 먹기 보다는 손가락만 움직여도 줄서서 기다려야 먹을 수 있는 맛집 음식을 내 집 현관 앞에서 받을 수 있는 사회가 되었다. 힘들여 무언가 하지 않아도 필요한 것이 바로 내 앞에 있는 지금은 더욱더 움직일 필요가 없어졌다. 이 때문에 당뇨, 고혈압, 고지혈증, 동맥경화, 비만 이렇게 5대 성인병은 중년에게는 더불어 가는 친구가 됐다. 성인병으로 40대에 돌연사를 걱정하던 때는 이미 오래 전에 지나고, 20대 30대에서도 5대 성인병이 나타나고 있는 게 현실이다.

이 성인병들은 갑자기 생겨난 병들이 아니라 운동량이 부족할 수밖에 없는 지금을 살고 있는 사람들에게 나타나는 질병들이다. 땀을 흘려야 땅의 소산을 먹을 수 있었던 시대와 똑같이 지금도 땀을 흘려야 신체의 대사나 면역 기능들이 제 역할을 할 수 있는데, 지금은 에어컨 앞에서 손가락과 눈만 움직여 편하게 얻어지는 것에 익숙해진 삶을 살아간다. 퇴근할 때 주차도 가급적 내 집 앞, '삼보 이상은 승차'라는 좌우명을 갖고 한 발자국이라도 덜 걸으려 노력한다. 이천년 전이나 지금이나 땀을 흘려야 건강할 수 있는데, 우리는 땀 흘리는 것 자체를 싫어한다.

필자가 어렸을 때는 저녁 먹을 시간이 되면 밥을 먹이기 위해서 엄마가 밖으로 찾으러 나오시던 기억이 있다. 도대체 밖에 나가면 집에 들어올 생각을 하지 않고, 온몸은 땀으로 범벅이 되어서 돌아오던 시절을 1980년대 이전에 태어난 사람이라면 기억할 것이다. 하지만 지금은 어떤가? 아이들에게 놀이를 시키기 위해서 축구 클럽을 가입시키고 키즈 카페에 가서 놀도록 밀어넣어야 아이들이 놀 수 있다. 자동차도 많아지고, 놀이터가 줄어드는 어른들이 제공한 환경 탓도 있겠지만, 이제는 손안의 세상에서 친구를 만나고 노는 가상의 공간이 아이들의 주무대가 되어버렸다.

옛날 텔레비전은 디스플레이 뒤로 큰 공간이 있어서 텔레비전 한 대 놓으려면 충분한 공간이 있어야 했다. 심지어 보관하기 위해서 텔레비전장도 있었다. 뚱뚱했던 텔레비전과 반대로 사람들은 마른 체형이었다. 하지만 지금의 텔레비전은 손가락 두 마디도 안 되게 얇아졌지만, 사람의 몸은 예전 텔레비전만큼 뚱뚱해졌다. 전세가 역전된 것이다. 이제는 원하는 프로그램을 보기 위해서 그 시간에 맞춰서 뛸 필요도 없고, 모여 앉아서 떨리는 마음으로 기다릴 필요도 없다. 지나간 것도 당연히 또 볼 수 있고 중요 장면들은 짧게 편집되어 SNS에 계속 노출된다.

적게 움직이게 하고, 심지어 움직일 필요가 없게 하는 플랫폼이 대세인 시대에 살고 있는 것이다. 오히려 움직여서 뭔가 하려고 하면 시대에 뒤처진 사람으로 보기도 하는 시대이다. 나이가 들면서 자연스럽게 살이 찌는 것을 인정하는 것은 내 몸에 질병을 초대하는 것과 같다. 노화는 쉬지 않고 진행이 되는데, 브레이크를 잡는 방법은 운동과 관리 뿐이다. 편하게 얻을 수 있는 건강은 어디에도 없다.

2부

바른
체형을
만드는
근육교정

4장
상체 바로잡기
목의 통증

몸 전체의 컨트롤타워, 머리

인체 구성상 어느 한 부분도 필요 없는 곳이 없지만, 반드시 존재해야 하는 부분은 머리다. 머리는 얼굴을 포함하여 22개의 뼈로 구성되어 있고, 평균적으로 뇌의 무게는 1.3~1.5kg 정도, 머리의 무게는 4~5kg 정도다. 머리뼈를 두개골이라는 이름으로 부르기도 하기 때문에 두개골이니까 두 개, 두 개하면 금방 22개를 연상시킬 수 있을 것이다. 머리뼈 개수만 알고 있어도 어디 가서 상식이 많은 사람으로 보여질 수 있을 것이다. 두개골은 22개의 조각으로 나누어져 있는데, 외부에서 볼 수 있는 뼈는 전두골, 두정골, 후두골, 측두골 정도로 볼 수 있다. 이들 각 머리뼈 조각들은 봉합(suture)이라는 이름으로 모양은 톱니바퀴처럼 맞물려서 형성된다.

아기가 태어나면 머리 쓰다듬지 말라는 이야기를 한다. 이유는 숨구멍이라는 곳이 다칠까 봐 하는 말이다. 아기가 태어나고 신생아 시기에 머리를 관찰해보면 정수리 부분이 숨 쉴 때마다 뛰는 것을 볼 수 있는데, 어느 순간부터 아이에게서 관찰이 되지 않는다. 정식 명칭은 숫구멍(fontanelle)이라고 하며, 위치에 따라 앞쪽은 대천문, 뒤쪽은 소천문이라고 한다. 이러한 대천문, 소천문을 이루는 봉합은 성인처럼 완전히 닫히지 않았기 때문에 엄마의 산도(産道)를 통과할 때 뇌가 다치지 않을 수 있고, 생후 2개월에서 최대 24개월 사이에 대천문과 소천문이 닫히기 전까지 뇌가 폭발적으로 성장할 수 있는 기회를 열어주는 것이다. 두개골은 머리 안의 뇌를 보호하며, 얼굴에 포함되는 눈, 코, 입, 귀 등의 기관이 들어갈 수 있는 자리를 확보해 주는 기능을 한다.

머리뼈 아래 뇌를 보호하는 막이 있는데, 그 이름을 뇌척수막이라고 한다. 뇌척수막은 경막, 지주막, 연막 세 개의 막으로 구성되어 있고, 뇌와 척수를 둘러싼 채로 보호하는 기능을 갖는다. 가장 바깥쪽에 있는 경막(dura mater)은 두겹으로 되어 가장 질긴 막으로 치밀한 탄력 섬유 결합조직으로 형성되어 있는 것으로 정맥동(dural venous sinus)을 형성해 내부로 혈액을 통과시켜 정맥혈관의 역할을 하며, 질긴 조직인 만큼 경막 내부에서 액체가 새는 것을 방지하는 방수포 역할을 한다. 중간의 지주막(arachnoid)은 경막과 연막 사이에 있는 얇은 결합조직성

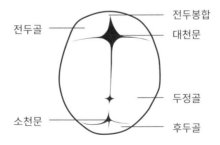

숫구멍(fontanelle). 신생아 머리에서 볼 수 있는 아직 닫히지 않은 숨구멍을 말한다

뇌척수액이 순환하면서 머리뼈안에서 뇌를 둘러싸 강한 충격을 흡수한다

막이다. 가장 안쪽에는 연막(pia mater)으로 뇌와 가장 밀착되어 덮고 있다. 그렇기 때문에 섬세한 혈관의 분포가 가장 많은 막이다.

　　이렇게 세 개의 막은 머리뼈와 뇌를 연결해주는 역할을 하는 동시에 뇌척수액의 순환에 많은 영향을 미치게 된다. 뇌척수액(cerebrospinal fluid)은 머리뼈안에서 뇌를 둘러싸면서 강한 충격을 흡수하는 완충재 역할을 한다. 뇌척수액이 존재하지 않는다면 뇌는 심각한 부상에 노출될 수 있다. 뇌척수액은 하루에 400~500ml가 생성되는데, 머리뼈와 꼬리뼈 사이를 하루 3~4차례 정도 순환한다. 뇌척수액의 순환이 막히게 되면 만성피로, 두통, 소화불량, 전신 무력감, 면역력

저하 등 다양한 모양으로 불편함이 몸 안에 공존하게 된다.

그렇다면 어떻게 해야 뇌를 맑게 하고, 뇌척수액의 흐름을 원활하게 할 수 있을까? 뇌척수액의 흐름은 척수 뒤에서 아래로 내려갔다가 척수 앞으로 올라가거나 중심관을 통해 순환한다. 이때 척추가 움직이면서 순환을 돕는 역할을 한다. 뇌척수액을 원활하게 순환하기 위해서는 척추의 움직임이 원활하게 되도록 도와주면 된다. 이쯤되면 귀에 못이 박혀 짐작은 했겠지만 이 원활한 움직임은 바른 체형에서부터 시작된다. 건강을 지키기 위해서는 준비 없이 바로 운동으로 뛰어드는 무모한 도전 정신을 발휘하기 보다 내 체형을 정비하고 부상을 예방한 후 몸을 만들어 가야한다. 더 느리고, 비용이 많이 드는 것 같지만 결과를 놓고 비교하면 비용 대비 시간을 절약하고 몸의 손상을 막는 지름길이다.

우리가 운동을 하다가 머리를 다치는 경우에도, 교통사고를 당해서 병원에 간 경우에도 뇌진탕 증세가 있다는 이야기를 종종 듣곤 한다. 뇌진탕(腦震蕩)은 머리의 강한 외부 충격으로 일시적인 의식 상실과 뇌 기능의 손실이 야기되는 증상이다. 반면 뇌 구조상의 손상은 없다는 게 특징이다. 기능과 구조의 차이가 혼동된다면 간단한 예를 생각해 보자. 리모컨에 대입해 보면 리모컨을 눌렀을 때 켜지거나 꺼지는 동작을 하지 않을 때 기능적 문제가 생겼다고 말하지, 구조적인 문제가 생겼다고 말하지 않는다. 구조적 문제는 리모컨을 떨어트려 한 면이 완전히 날아가서 더 이상 쓸 수 없는 상태를 의미한다.

뇌진탕은 크게 1~3급으로 나뉘는데 1급은 대부분 뇌진탕이라고 명할 수 있는 가벼운 타격감을 의미하는 데 반해, 2급부터는 약간의 강도가 세지는 경우다. 2급의 경우 5분 이내 의식을 잃었을 때, 3급은 24

시간 이상 기억이 없는 상태를 의미한다. 뇌진탕의 증상으로 두통, 구토, 기억 상실이 있는 경우 즉각적인 치료를 받아야만 한다.

　가끔 머리를 직접 부딪히지도 않았는데 놀이동산에 놀러 가서 놀이기구를 탔다가 어처구니없게도 뇌진탕이 생기는 경우가 있다. 놀이기구 중 가장 위험한 놀이기구는 뭘까? 귀신의 집처럼 정서적인 위협을 가하는 장소? 아니면 번지점프처럼 위로 올라갔다가 떨어지는 놀이기구? 고소공포증을 느낄 수 있게 느리고, 천천히 올라갔다가 내려오는 대관람차? 모두 아니다. 제일 위험한 놀이기구는 '범퍼카'다. 말 그대로 고무 튜브에 공기로 채워진 범퍼를 설치해 다른 차와 부딪히더라도 충격을 줄여 안전하게 즐길 수 있고, 작용 반작용의 과학 원리를 배울 수 있는 놀이기구라고 거창하게 설명할 수 있지만 문제는 재미 뒤에 숨겨진 사고의 충격이다. 교통사고가 날 때 정면에서 오는 충격은 보고 대비를 할 수 있지만, 뒤에서 오는 충격은 대비가 거의 불가능하다. 놀이동산의 범퍼카는 대부분 피하기보단 들이받기 위해 있는 놀이기구로 뒤에서 부딪혔을 때 목이 뒤로 재껴지는 교통사고의 흔적이 그대로 남게 된다. 이 놀이기구가 위험하다는 것을 알고 있는 부모들은 아이들이 범퍼카에 타는 걸 권하지 않는다. 목, 어깨와 허리의 충격으로 근육의 손상을 입게 되고 심한 경우 뇌진탕까지 올 수 있기 때문이다. 어떻게 보면 쉽게 스쳐 지나갈 수 있는 이벤트성 놀이기구지만 몸에 대해 조금의 관심이 있는 사람이라면 심각하게 받아들여야 하는 안전의 문제인 것이다.

　뇌진탕과 연계되어 나타나는 사고의 흔적으로는 척추 손상이 많은데, 미국 통계 발표에 의하면 병원으로 호송되기 전 사망하는 환자의 44%가 차량 충돌이고, 폭행과 넘어짐으로 인한 경우가 각각

20%대, 10%정도가 운동으로 인한 것이다. 실제 차량충돌과 강도의 차이는 있겠지만 위험성을 내포하고 있다는 것을 알게 되었다면 무심코 넘기지 않아야 할 것이다.

무거운 머리를 지탱하는 목

50대 대기업 임원은 항상 어깨가 불편해서 퇴근 후 매일 마사지를 받다 보니 이제 어깨는 아프지 않게 되었다. 그런데 언젠가부터 고개를 숙이고 있는 습관이 생겼다. 교통사고가 있었던 것도 아니고, 잠도 충분히 자는데 어딘가 모르게 불편하다 보니 고개를 숙이는 게 좀 더 편해졌고, 어느덧 고개를 숙이고 있다가 앞을 보려면 고개를 좌우로 한 번씩 꺾어줘야 목과 어깨가 편하게 움직여서 고개를 들 수 있었다. 매일 받은 마사지로 인해 어깨 주변과 목 근육이 약화되며 발생한 현상이다. 그로 인해 고개를 숙이고 있게 되는 자세의 변형까지 오게 된 것이다. 고개를 숙이고 있는 자세는 목과 어깨에 많은 부담을 주게 된다.

　사람보다 넓은 시야각을 가진 동물들은 너무 많다. 개는 250°, 양은 270°, 소는 330°의 각도를 갖고 있는 반면 사람의 시야각은 약 200~220° 정도이다. 사람은 멀리에 있는 먹이를 찾아야 하거나, 천적의 위험이 없기 때문에 시력도 동물보다 떨어지고, 각도도 줄어든 상태로 진화하고 있다. 고개를 숙이게 되면 시야각이 줄어들게 되고, 앞을 봐야 하는 상황에서 고개가 숙여져 있으면 눈을 치켜떠야 하는 상황이 발생하게 된다. 임금 앞에서 고개를 숙이는 권력에 대한 순종의 의미가 아니라 어깨와 목 근육의 약화로 어쩔 수 없이 고개를 숙이게 되고, 목이 불편해서 사람을 볼 때 치켜보게 되니, 그로 인해 인상은 날카로워졌다. 처음 봤을 땐 별이 다섯 개 정도 되는 줄 알았으나 많은 대화를 하다보니 배려심 많고, 온화한 성품의 소유자라는 것을 알 수 있었다. 몸이 불편하면 자연스럽게 인상도 변하는 것이다.

어깨가 불편해서 시작한 마사지는 어느 정도 근육 뭉침이 풀렸으면 그만 해야했다. 그랬더라면 고개를 숙이는 습관이 생기지는 않았을 것이고, 인상이 변하는 것까지 막을 수 있었을 것이다. 이렇게 목과 어깨가 많이 아픈 사람들은 샤워할 때 한 가지 습관만 들이면 불편한 느낌이 줄고, 뭉친 근육이 풀리고, 면역력까지 높일 수 있다. 따뜻한 물로 5분 정도 목뒤 부분을 충분히 찜질을 하는 것이다. 이런 간단한 방법만으로도 뇌 혈류를 증가시켜 감기 예방에도 많은 도움이 된다.

목뒤엔 뭐가 있을까? 혈자리 이름으로는 대추혈(大椎穴)이라는 곳이다. 이 혈자리 위치에는 승모근이 자리 잡고 있고, 목과 어깨에 뭉쳐진 근육과 스트레스를 줄여주는 곳이다. 목뒤 정 가운데 선을 따라 내려오면 목뼈 일곱 번째 툭 튀어나온 자리이다. 목뼈인지 등뼈인지 잘 못 찾겠다면 목뒤 하단 제일 튀어나온 뼈에 손을 대고 목을 움직여 보자. 목을 움직였을 때 뼈의 움직임이 느껴지지 않는다면 등뼈이고, 손

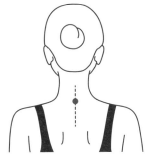

대추혈(大椎穴). 뇌 혈류를 증가시키고, 면역력 향상으로 감기를 예방하는 혈자리이다

가락으로 뼈 하나씩 위로 옮겨보면 된다. 목을 움직였을 때 뼈가 움직이는 느낌이 나면 그 뼈가 목뼈 일곱 번째이다. 이 혈자리는 비염을 개선하고, 뇌 혈류를 증가시켜 머리가 맑아지며, 면역력 향상으로 감기 예방에 도움이 된다. 샤워할 때마다 이 행동 하나만 추가하면 근육을 이완시키고 몸의 불편함을 예방할 수 있다. 목은 머리와 몸통을 이어주는 허브인 동시에 5kg 전후의 무게인 머리를 짊어지고 있는 구조다. 이렇게 넓은 가동범위를 유지하는 것이 가능한 이유는 5개인 허리뼈에 비해 상대적으로 얇은 두께의 뼈 7개로 구성되어 있어 더 많은 굴곡, 신전, 회전이 가능한 것이다.

목은 정상적으로 정면을 보고 있을 때(0°) 사람마다 차이는 있지만, 평균적으로 5kg 정도의 무게를 온전히 7개의 뼈와 목 근육으로 버티고 있다. 하지만 우리가 스마트폰을 보는 자세를 하게 되면 목이 버텨야 하는 무게는 달라진다.

15° 숙였을 때 목이 견뎌야 하는 무게는 12kg

30° 숙였을 때 목이 견뎌야 하는 무게는 18kg

45° 숙였을 때 목이 견뎌야 하는 무게는 22kg

60° 숙였을 때 목이 견뎌야 하는 무게는 27kg

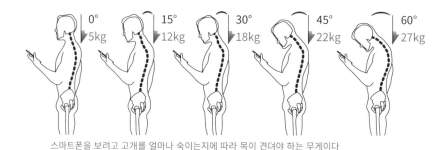

스마트폰을 보려고 고개를 얼마나 숙이는지에 따라 목이 견뎌야 하는 무게이다

길거리 다니면서 스마트폰 하는 사람들을 보면 마트에서 파는 20kg 쌀 한 포대를 머리에 얹고 다니는 것으로 생각하면 된다. 스마트폰을 장시간 사용하다 보면 심한 경우 목 디스크, 척추옆굽음증, 거북목증후군, 손목터널증후군 등 다양한 근골격계 질환들을 야기할 수 있다. 고개를 숙이고 다니는 사람 중 많은 사람들이 나중에 목의 불편함이 더 커지면 자꾸 목을 꺾어가면서 스트레칭을 하다가 두둑 소리를 내는 것을 자주 목격한다.

핸드폰 보는 것을 줄이고, 먼 산을 보면서 명상을 해보자. 어느새 목의 불편함도 가라앉을 것이다. 아울러 정신이 맑아지는 게 느껴질 것이다. 이는 명상의 자세에서 이유를 찾을 수 있다. 명상할 때 허리를 구부리고 하는 사람은 없다. 가슴을 열고, 허리를 세운 상태에서 명상하면, 모든 혈과 기의 순환과 소통이 원활하게 되기 때문이다.

목 스트레칭

아래 소개하는 5개의 스트레칭을 양쪽 3세트씩 진행하면 목 근육이 이완되어 안정감을 느낄 수 있고, 꾸준히 노력하여 유지할 수 있다. 단, 주의할 점은 모든 스트레칭은 정확한 자세로 하는 것이 가장 중요하다. 다치게 할 바에는 처음부터 시작하지 않는 것이 좋다.

스트레칭 1
머리 위 뒤통수에 깍지를 끼고 허리와 등을 곧게 편 상태에서 가능한 범위까지 앞으로 숙여 목만 스트레칭한다. 무리해서 과도한 동작을 하게

목 스트레칭1. 목을 늘려주고 승모근의 긴장을 이완시키는 동작이다

되면 오히려 등과 허리를 다칠 수 있으니 주의해야 한다.

이 스트레칭은 머리와 목을 신전시키고 목을 회전시키는 승모근의 긴장도를 이완하는 동작이다.

스트레칭 2

오른손을 들어 왼쪽 귀 위의 측두부에 손을 대고 오른쪽으로 가지런히

목 스트레칭2. 목이 과하게 늘어나는 것을 방지하고 흉쇄유돌근을 이완시키는 동작이다

당겨준다. 왼쪽도 같은 방법으로 진행한다.

　　이 스트레칭은 머리의 후방 움직임과 목의 과신전을 방지하고 얼굴을 반대 방향으로 회전시키는 흉쇄유돌근의 긴장도를 이완하는 동작이다. 이 동작 또한 허리와 등을 곧게 편 상태에서 진행해야 어깨나 등이 다치지 않는다.

스트레칭 3

스트레칭 2와 유사하지만 목과 어깨까지 동시에 스트레칭을 할 수 있는 방법이다. 머리를 당기기 전에 먼저 손바닥을 엉덩이에 깔고 앉는 동작을 추가해서 스트레칭이 좀 더 깊게 들어가도록 하는 것이다.

* 반드시 손등이 바닥에 닿아야 한다. 손바닥이 바닥을 닿게 잘 못 스트레칭하면 어깨의 삼각근에 손상을 입을 수 있다.

목 스트레칭3. 2번보다 목과 어깨까지 동시에 깊게 스트레칭 하게 되는 동작이다

스트레칭 4

먼저 머리를 오른쪽으로 45°로 바라본 상태에서 오른쪽 팔을 들어 손바닥이 후두부에 닿도록 깊게 잡아주고 팔 방향으로 기울이며 아래로 당겨

목 스트레칭4. 목의 균형을 유지시키고 사각근의 긴장을 이완시키는 동작이다

준다. 왼쪽도 같은 방법으로 진행한다.

이 스트레칭은 목 균형을 유지하고 힘 쓸때 흉곽을 올려주며 호흡근으로 작용하는 사각근의 긴장도를 이완하는 동작이다. 이 동작도 잘못했을 때 사각근이 틀어질 수 있으니 반드시 허리와 등을 곧게 편 상태에서 진행해야 한다.

스트레칭 5

수건을 준비해서 긴 쪽 왼쪽 모서리를 잡고 반대쪽 모서리를 아래로 잡

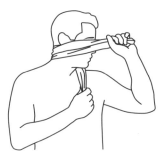

목 스트레칭5. 흉쇄유돌근과 그 밑의 사각근까지 이완시키는 동작이다

아 최대한 길게 만든 다음 팔을 교차해서 목에 걸고 스트레칭에 들어간다. 한 팔을 위쪽 방향으로 잡아당기고 다른 팔은 아래 방향으로 잡는다. 예를 들어 오른손은 왼쪽 가슴에 고정하고 왼손은 얼굴의 오른쪽 광대뼈를 가로질러 오른쪽에서 왼쪽으로 잡아당긴다. 이 상태에서 20초 정도 버틴 다음 놓아 준다. 반대쪽도 같은 방법으로 진행한다.

목 안에는 크게 네 가지 신체 기관이 들어 있는데, 우리가 음식을 삼켜 넘기는 식도, 공기를 통과시키는 기도, 호르몬을 분비해 대사를 유지하는 갑상샘, 기도 보호, 호흡, 발성 기능을 하는 후두가 포함된다. 우리 몸의 모든 생명 장치가 지난다고 해도 과언이 아니다.

앞에서 봤을 때, 음식을 삼키는 식도와 숨을 쉬는 기도 중에 무엇이 먼저 있을까? 생명이 위험할 땐 기도를 먼저 해야 하듯, 정답은 기도가 앞에 있다. 기억을 더듬어 보면 환자가 의식을 잃고 호흡 부전 현상이 발생했을 때 목 앞에 기관을 절개해 삽관하는 것을 드라마나 영화에서 종종 보았을 장면이 바로 이 순서로 인해 가능한 것이다. 기도가 식도 뒤에 있다면 강제로 호흡을 유지하기 위해서 목뒤를 절개해야 하는 위험한 일들이 발생할테니 이야말로 신의 한수가 아닌가 싶다.

그렇다면 음식을 먹다가 종종 사레에 들리는 건 왜 그럴까? 사레가 걸리는 이유는 '후두덮개'라는 연골이 제 기능을 할 타이밍을 놓쳐서 그렇다. 숨을 쉴 때는 후두덮개가 열려서 기관으로 공기를 들여보내고, 음식을 삼킬 때는 식도로 음식을 넘기는 "꿀꺽"하는 순간에 후두덮개가 기도를 막아서 음식물이 기도가 아닌 식도로 자연스럽게 넘어가도록 하는 역할을 하게 되는 것이다. 이렇게 후두덮개가 기도를 잠깐 막는 것을 삼킴 반사(swallowing reflex)라고 한다. 하지만 나이가 들면

후두덮개와 주변 근육이 약해지고, 타이밍을 놓치는 경우도 많다. 이 타이밍을 놓쳐서 침이라도 기도 쪽으로 흘러 들어가게 되면 사레에 들리게 되는 것이다. 이래서 나이를 먹으면서는 음식물을 삼키는 것도 주의해야 한다.

잦은 사레 스트레칭

음식을 주의해서 먹으면 사레들리는 횟수가 줄어든다. 하지만 근육이 약해져서 오는 문제를 아무리 주의해도 그 한계는 금방 드러난다. 이때 필요한 것은 목 주변 근육 강화다. 목 주변 근육을 강화하면 생기는 부작용은 턱 선이 갸름해지고, 얼굴이 작아진다는 것이다. 전 세계에서 단위 면적당 유지비용이 가장 비싼 곳은 여자 얼굴이다. 턱이 가늘고 예쁜 얼굴을 가진 여성이라면 이 운동이 필요 없지만, 흔히 투턱이라고 하는 이중턱인 사람들에게 턱선을 살리는 가장 좋은 방법이기도 하다.

방법은 생각보다 간단하다. 너무 간단해서 효과를 볼까? 라고 생각할 수도 있지만, 이 동작을 하는 전과 후를 거울을 보면서 비교해 보면 그 효과는 즉시 확인이 가능하다.

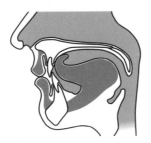

잦은 사레 스트레칭. 목 주변 근육에 탄력을 주어 투턱까지 개선되는 동작이다

혀끝을 윗니 뒤편으로 'ㄴ'자 모양으로 동그랗게 말아 올린다. 이 때 입술은 닫고 있어도 충분히 입 안에서 혀를 움직일 수 있고, 고정시킬 수 있다. 이 동작은 혀를 위로 밀어 올려 목 주변 근육의 텐션이 높아지면서 턱 근육에 탄력이 붙어 투턱 라인이 가늘어지고, 사레들리는 횟수가 줄어들게 된다. 케겔 운동처럼 티가 나지 않지만, 효과는 즉시 볼 수 있으므로 반복적인 운동을 통해 미용에 쓰는 비용도 줄이고, 사레들리는 불편함도 줄여보자.

만약 후두덮개의 타이밍을 잘못 잡아서 음식물이 후두를 막게 되면 어떻게 될까? 16년 전 없어진 프로그램 '일요일은 101%'에서 송편 먹기 내기를 진행하던 도중 성우가 질식사하는 사건이 발생했다. 이 사건이 바로 그런 경우이다. 이때 하임리히 요법을 실행했더라면 아까운 목숨은 살릴 수 있었을 것이다. 하임리히 요법(Heimlich maneuver)은 기도가 음식물이나 이물질로 막혔을 때 시행하는 응급처치법이다. 폐는 풍선처럼 바람을 넣으면 부풀어 오르고, 바람을 빼면 원래 상태로 돌아간다. 공기를 빨아들여 폐가 부풀어 오르고 산소를 체내로 순환시키며, 몸을 순환한 산소는 이산화탄소의 형태로 폐를 통해 대기 중으로 배출되는데, 이 일은 죽음을 맞이하는 순간까지 단 한 순간도 빠짐없이 반복하게 된다.

쉼 없이 호흡해야 하는 상황에서 호흡이 막히게 되면 폐 내부 압력이 높아지게 되는데, 이를 이용하여 횡격막 부분을 강하게 눌러서 기도의 압력을 높여 이물질을 입 밖으로 배출하게 도와주는 원리다.

하임리히 요법

성인의 경우

1. 기도가 이물질로 막힌 사람 등 뒤에 서서 주먹을 쥔 손으로 배꼽과 명치 중간쯤에 갖다 놓는다. 다른 한 손으로 주먹 쥔 손을 감싸 쥔다.

2. 한쪽 다리는 상대방의 다리 사이에 두고, 다른 다리는 뒤로 뻗어 균형을 잡고 휘청거리지 않게 최대한 준비한다.

3. 양손에 강하게 힘을 주면서 환자의 배를 안쪽으로 깊이 누르면서 상대를 아래에서 위로 튕기면서 당겨준다.

4. 이물질이 나오고, 안정됐는지 꾸준히 확인하면서 반복한다.

남자들은 군대나 예비군 훈련에서 꾸준한 교육을 받고 있다. 이 방법은 위급 상황에서 생명을 살릴 수 있는 방법이므로 반드시 숙지하자.

　　아이를 키우는 엄마도 이 응급처치는 꼭 기억하고 있는 것이 좋다. 아이가 기고, 걷기 시작하면 눈에 보이고 잡히는 것은 집어서 입에 넣는 일이 생각보다 빈번하기 때문에 언제 어떤 상황이 발생할지 모르니 미리 대비하도록 하자.

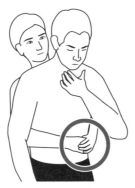

성인의 경우 주먹 쥔 손을 감싸 배를 안쪽으로 깊이 누르며 아래서 위로 튕기며 당겨준다

영아인 경우

1. 한 손으로 아이의 턱을 감싸고, 반대 손으로는 뒤통수를 부드럽게 잡으면서 아이를 안아 올려 아이의 머리가 아래로 향하도록 허벅지 위에 엎드려 놓는다.

2. 아이의 양쪽 날갯죽지 가운데를 손바닥의 아랫부분으로 세게 두드린다. 이때 중요한 것은 머리가 신체 나머지 부위보다 낮아야 한다.

3. 이렇게 해도 이물질이 그대로 있을 경우, 아이의 양쪽 젖꼭지를 잇는 선의 중앙 바로 아래 흉골 부위에 손가락 두 개를 댄 뒤 강하고 빠르게 약 4cm 정도 깊이로 압박하며 5회 누른다.

4. 이물질이 나왔는지 계속 확인하면서 정상 호흡이 돌아올 때까지 계속 반복한다.

12개월 이상 아이인 경우 성인의 방법과 비슷하지만, 뒤에서 하임리히 요법을 시행할 때 무릎을 꿇고 시행하는 자세가 안정적이다. 다시 한 번 강조하지만 이 방법은 생명과 직결돼 있기 때문에 그냥 넘기지 말고 기억해 두는 것이 좋다.

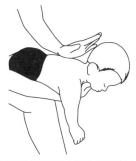

영아의 경우 아이를 안고 날갯죽지 가운데를 손바닥 아랫부분으로 두드린다

인생의 3분의 1, 자면서 목 건강 챙기기

목이 불편한 사람들의 특징 중 하나는 베개 하나에 몇만 원에서 몇십만 원까지 돈을 내고서라도 구매하는 경우가 많다는 것이다. 한때 *텍스, *모리 등등 목과 머리를 안정되게 받쳐주는 기능성 베개가 유행했던 적이 있었다. 필자의 많은 지인들도 기능성 베개를 구매했었다. 하지만 그 지인 중 베개 바꾸고 편하게 잠들었다고 하는 사람은 본 적이 없다. 결국 필자가 앞서도 주장했듯이 목이 불편한 것은 도구(베개)가 아니라 목 자체에서 해결해야 한다는 것을 다시 한 번 증명한 셈이다.

그래도 나에게 맞지 않는 베개를 베고 있는 것 같은 불안함이 있는 목과 어깨가 아픈 분들에게 추천해 줄만한 베개가 있긴 하다. 필자는 투기 종목의 운동을 오래 했던 사람이라 외부 충격으로 목의 긴장도가 항상 높았다. 그래서 베개를 가지고 참 많은 고민과 잠 못 자는 날들을 보냈다. 베개를 그렇게 찾아 헤매던 중 군대에서 운명을 바꾼 베개를 만나게 되었다. 비싸고, 좋은 베개들이 수없이 많았지만, 군대에서 만난 베개는 몇 년은 빨지 않은 것 같은 땀 얼룩 가득한 베갯잇의 비주얼과 형언할 수 없는 곰팡이와 땀 냄새가 섞인 오묘한 향이 났고 부스럭거리는 소리가 일품인 원통형 국방색 베개였다. 군대에 다녀온 남자들은 알겠지만, 훈련소의 첫날 저녁은 그리 행복한 기억은 아닐 것이다. 하지만 필자는 너무 행복했다. 사회에서는 상상할 수 없는 더러운 베개였지만 눕는 순간 완벽하게 목과 머리를 받쳐주고, 엄마의 품처럼 감싸주는 포근한 느낌을 주었다. 13년간 운동을 하면서 그렇게 찾아 헤매던 베개를 만난 운명의 날이었다. 피곤함과 긴장감 그리고 빨간 점호 등의 어둠 때문에 아무것도 보이지 않는 밤이었지만 이 친구의 실체가 궁금해서 안 열어볼 수 없었다. 베갯잇 속에는 빨래 망 같은 주머니에 빨대가 잔뜩 들어 있었다. 가맹점 커피숍에서 만날 수 있는 크고 두꺼운 빨대를 잔뜩 잘라 놓은 듯 했다. 베고 누웠을 때 빨대들은 좌우로 정렬하듯이 움직이며, 머리 무게를 가장 최적화되고 안정된 상태로 분산시켜 줬다. 처음 누웠을 땐 소리가 많이 난다고 느꼈지만 시간이 지나다 보니 빨대의 움직임 소리는 전혀 들리지 않았고, 머리의 중심은 잡아주고 무게는 고르게 분산시켜주는 완벽한 기능을 소화해냈다. 그래서 제대 후에도 빨대 베개를 구매해 20년이 넘는 기간동안 꾸준히 사용하고 있다. 운동과 스트레칭으로 목의 불편함은 완벽하게 없어졌어도, 베개는 변함없이 빨대 베개를 사용하고 있다. 물건을 모르거든 금보고 사라는 말이 있다. 가치를 알 수 없거든 그 가격을 보고 사라는 뜻이다. 하지만 필자의 경험으로 보았을 때, 베개는 비싸고 기능이 많은 것은 절대 필요가 없다. 빨대 베개처럼 저렴하면서도 완벽하게 기능을 수행하는 베개가 있으니 더이상 찾을 이유가 없지 않겠는가.

그렇다면 베개의 높이는 어느 정도가 적당할까? 특별한 기술이 필요하지 않다. 누웠을 때 각 사람마다 검지 손가락 높이만 맞추면 베개의 높이 설정은 끝난다. 빨대 베개가 있다면 빨대를 넣고, 빼서 조절하면 된다.

5장
상체 바로잡기
어깨, 팔의 통증

어깨는 왜 늘 불편할까?

어깨는 견갑골(어깨뼈), 쇄골(빗장뼈), 흉골(복장뼈), 늑골(갈비뼈), 상완으로 구성된 복합체이다. 다리와 어깨는 상반되는 특징을 갖고 있다. 다리의 경우 고관절은 골반에 잘 끼워져 있는 형태이다. 굳이 강하게 잡아 빼지 않는 한 빠지는 경우는 극히 드물다. 다리는 굉장히 견고하고 안정적이라는 장점이 있다. 하지만 가동범위는 어깨만큼 크지 않다는 단점이 있다.

　　　어깨는 몸통에 걸쳐져 있는 형태이다. 견갑골의 약 5° 정도 기울어진 곳에 걸쳐져 있는데 이 때문에 다리와는 다르게 굉장히 가동범위도 넓고, 자유롭다는 장점이 있다. 극단적인 단점은 몸통에 걸쳐져 있는 형태라 불안정하며, 정상 범위 이상으로 비틀면 탈구가 일어난다. 어깨는 보통 스트레스나 긴장도가 높아지고, 업무에 지쳐가는 오후면 통증이 많이 밀려온다. 아픈 부위는 사람마다 차이가 있지만, 보통은 승모근 상부 쪽이 제일 예민하고 통증을 많이 느낀다. 승모근은 후두골부터 시작해서 흉추 12번까지 양쪽 견갑극까지 마름모꼴의 형태로 이루어져 있다. 상당히 큰 편에 속하는 이 근육은 날씨가 추워서 어깨를 잔뜩 웅크릴 때 가장 긴장도가 높아지며, 스트레스 자체에 굉장히 예민한 근육이다. 게다가 승모근의 긴장도가 높아지면, 편두통까지 이어지는 양상을 보인다. 반대로 승모근이 약해지면 둥근 어깨 증후군(round shoulder)이 형성된다.

어깨가 아파서 숨도 못 쉰다는 60대 여성분을 만났다. 양손을 매 순간 어깨에 대고 혼자라도 주물러야 어깨가 조금 덜 아프다고 처음 만났을 때도 양손을 엇갈려 어깨를 잡고 있었다. 병원이나 한의원에서는 염증 수치도 낮고, 아파야 할 이유가 딱히 없다는 분위기고, 긴 병에 효자 없다고 식구들도 아파서 힘들다고 하는 아내, 엄마를 못마땅하게 여긴 지 꽤 오래돼 보였다. 처음 만난 가족들 분위기는 무척이나 무거웠다. 적막하고, 어두운 분위기에 짓눌려서 이 정도 분위기면 건강한 사람도 아프겠단 생각이 들었는데, 리딩을 해 보니 근육 컨디션은 꽤 좋았다. "(분위기가) 힘드셨겠네요"라고 한마디 했는데, 조카뻘 되는 사람 손을 붙잡고 30분을 울고 나니 "조금 진정되는 것 같다"고 했다. 결국 근육교정으로 할 수 있는 것은 없고, 상담 선생님을 연결해서 두 달간의 상담을 마치고, 아픈 어깨가 완전히 나았다며 고맙다고 연락이 왔다.

업무, 가정, 사회관계망, 소속된 집단 등 나를 둘러싸고 있는 스트레스 요인들은 정말 많다. 이 관계들 사이에서 중심을 못 잡으면 어디가 아픈지 정확하게 원인도 찾지 못하고 힘든 시간만 보내게 된다. 이렇게 자세나 사고에 의한 특발적인 통증을 제외하면, 관계적인, 업무적인, 잠을 못 잘 정도의 스트레스성 통증은 승모근의 긴장도가 높아지면서 어깨 통증으로 찾아오는 경우가 많다. 꾀병이라는 용어는 거짓으로 앓는 체하는 것이지만, 정신과 육체를 지배하는 심리적인 관문이 무너지면 몸이 아프게 될 수 있으니 이런 부분도 간과하지 말자.

어깨가 아프다고 오십견이나, 회전근개 파열 등 명확하게 큰 문제가 있는 상황이 아니면 약물치료나 물리치료를 매일 받기 좀 애매한 경우가 많다보니 보통 마사지샵 같은 곳에서 뭉친 근육을 풀어내는 것으로 통증을 완화 시키려고 노력한다. 마사지 자체는 좋지만 테크닉에 문제가 있는 일부 마사지사를 만나게 되는 경우가 있다.

"어머, 언니는 기술이 좋아서 그런지 날갯죽지 밑으로 손가락을
 많이 넣을 수 있네~~"

"내가 몇 년을 했는데~ 기술이 좋아서 그런 거야"

"나도 언니처럼 기술이 좋으면 좋겠다~~"

실제로 들은 이야기로 엎드려 있는 손님의 날갯죽지 밑으로 손가락을 두 마디 이상 넣을 수 있다고 얘기하는 선배와 그걸 부러워하는 후배의 일화이다. 비하하거나 모독하려는 의도는 없다. 다만 이런 것을 고난이도의 테크틱처럼 이야히가는 것은 경각심을 가져야 한다. 잘못하면 사람 몸을 망쳐놓을 수 있는 위험한 행동이기 때문이다.

날갯죽지를 잡아주는 근육을 능형근이라 한다. 능형근은 목뼈 7번부터 등뼈 5번까지 붙은 근육으로 이 부분을 시작점으로써 거의 사선 방향으로 날갯죽지 뼈(견갑골)까지 붙어 있는 근육이다. 척추에 붙어 있는 근육이기 때문에 이 근육이 강한 사람은 절대 날갯죽지 뼈가 들리지 않는다. 날갯죽지에 손가락이 들어가는 사람들은 대부분 여성이고, 근육이 약한 사람들이 많다. 능형근은 날갯죽지가 바깥으로 빠져나가지 않게 붙잡아 주는 역할을 하는데, 손가락을 넣고 바깥쪽

으로 잡아당기게 되면 안 그래도 약한 근육이 더 약해지고 늘어나게 된다. 능형근이 약해지면 상부 등 쪽의 통증이 날카롭게 느껴지면서, 가슴까지 찌르는 듯한 느낌으로 전달되는데 '심장에 문제가 있나?'하는 생각이 들 정도로 극심한 통증이 동반되기도 한다. 또한, 견갑골을 움직일 때 소리가 나고, 둥근 어깨 증후근(round shoulder)을 가속화 시키게 된다. 피로 해소를 위한 마사지도 잘못하면 오히려 다칠 수 있으니, 몸을 관리해야 하는 입장이라면 남에게 맡기지 말고, 운동으로 스스로 관리해 보자. 훨씬 더 좋은 결과물이 도출될 것이다.

얼어붙은 어깨, 동결견

어깨의 불편함을 이야기할 때 빠지지 않는 친구가 있다. 바로 오십견이다. 오십 대에 와서 오십견이라고 할까? 그럼 이십 대에 오면 이십견일까? 흔히 오십 대에 많이 발병해서 오십견이라고 오해하기도 하지만, 오래 전엔 오훼돌기라는 곳에서 문제가 발생한다고 해서 오십견이란 별명이 붙었다. 학명으로는 동결견(凍結肩, frozen shoulder)이라고 한다. 동결견을 풀어보자면 얼어붙은 어깨라는 뜻이다.

　1934년 codman이 처음 frozen shoulder라는 명칭을 사용했지만, 당시는 이 증상을 정의하기도 치료하기도 어려웠다. 오십견은 여성들이 브래지어 끈을 채울 수 없을 정도로 가동범위가 적을 때, 혹은 톨게이트에서 통행권을 뽑을 수 없을 만큼 어깨가 올라가지 않고 통증이 계속 있을 때 오십견이라고 진단한다. 오십견은 대부분 자다가 어깨가 아파서 깬다거나, 팔을 들어 올릴 수 없고, 통증이 없었다가 나타나면 더 심해지는 등 여러 형태로 증상들이 나타난다. 오십견으로 고통받는 사람 중 상당수는 이렇게 아플 거면 그냥 팔을 끊어버리고 싶다고 이야기한다. 그 정도로 통증이 심하고, 긴 시간 괴롭게 작용하기 때문이다.

인터넷이나 동네에 돌아다니다 보면 오십견 전문이라고 광고하는 병원과 한의원을 쉽게 볼 수 있다. 흔히 치료하는 방법은 주사나 약물치료이다. 좀 더 큰 병원은 도수치료와 체외충격파[1](Extracorporeal Shock Wave Therapy), 고주파 치료를 진행한다. 그렇게 치료를 받으면 통증이 줄고, 가동범위가 커진다. 그런데 병원에서 나올 때까지 혹은 내일 아침까지만이라는게 문제다. 또다시 시작된 통증은 감당할 수 없는 절망감으로 몰아넣는 게 오십견을 지나는 일반적인 패턴이다. 이렇게 영원히 끝날 것 같지 않은 터널에 갇힌 느낌으로 통증을 마주한 분들은 조금이라도 덜 고통받고 싶은 욕망으로 좀 더 강한 추나와 약물치료를 원하게 된다. 그러면서 서서히 몸은 망가져 간다.

1949년 neviaser가 오십견의 원인을 유착성 관절낭염(adhesive capulitis) 때문이라고 기술하였다. 관절을 감싸는 관절막에 염증이 생기고 관절막이 두꺼워져서 움직임이 뻣뻣하고, 제한이 생긴다는 것이다. 그러나 오십견의 정의와 증상에 대해 처음 이름 붙여지고 90년이 지나는 지금까지도 알려진 원인이 정확하다고 볼 수는 없다. 흔히 행해지는 오십견의 치료도 통증 치료의 S클라스, 끝판왕, 가성비 갑인 약물과 주사 치료를 그대로 따라간다. 하지만 통증을 못 느끼는 순간 재앙이 시작되는 것처럼 통증을 없애는 것에 집중을 하면 치료하는 것이 아니라 제2의 오십견이라는 판도라의 상자를 여는 것이다. '통증만 가

---

1   도수치료에 쓰이는 체외충격파는 제일 처음 요관이나 콩팥의 결석을 부수는 용도였다.

라앉으면 운동 열심히 해서 아프지 말아야지' 누구나 결심한다. 그렇게 오십견이라는 통증이 없어지면 몸을 내 마음대로 쓰다가 결국 회전근개 파열이나 팔꿈치 통증으로 이어져 통증의 방향만 바뀔 뿐, 통증의 강도는 더 키우는 상황에 봉착하게 된다. 원인을 찾지 않고 증상을 누그러트리는 치료만 하고 있으면 답이 없는 것이다. 한 가지 신기한 것은 오십견은 빠르면 1년에서 늦으면 2년 사이에 자연스럽게 없어지는 증상 중 하나라는 것이다. 그러므로 오십견의 후반부에 진료하는 병원이나 의원은 대충 치료해도 명의가 될 기회를 잡을 수 있다.

현대의학이 오십견을 치료하는 방법 중 하나는 진통, 부분마취 효과이다. 아픈 곳에 통증을 잠재워 활동하는 데 지장이 없게끔 하는 것이다. 내 몸이 아프다 혹은 불편하다는 사인은 '그 부분에 이상이 있으니 조심해', '주의 요망'이라는 몸의 경고 메시지다. 하지만 그 부분의 통증이 사라지게 되면 마음 편하게 내 아픈 부분을 쓰게 되는 능력을 얻게 된다. 그렇다. 이 모든 문제의 시작은 내 몸을 마음 편하게 사용하는 데서 나타나게 된 것이다. 옛날에는 머리카락 하나도 소중하게 생각하는 신체발부 수지부모의 문화가 있었을 정도로 몸을 소중히 했다. 하지만 필자는 그렇게 과하게 지키는 것을 말하는 것이 아니라 몸을 사용할 때 잘 사용하자는 것이다. 100년을 살아야 하는 몸인데, 아픈 것은 당연히 참기 어렵다. 하지만 아픈데 통증을 못 느끼고 평소대로 사용하면 더 큰 문제가 발생하게 된다는 것을 명심하자.

주변의 이야기를 듣다 보면 몇 년 죽도록 아프다가 자연스레 나았다고 하는 사람들을 보기도 한다. 왼쪽이 아팠는데, 오른쪽으로 번져 가더니 왼쪽이 안 아프다가 오른쪽도 서서히 안 아프더라 혹은 한쪽만 죽도록 아프다가 서서히 괜찮아지더라 하는 이야기 말이다. 사람은 아프기 시작하면 예민하고 즉각적인 반응을 보이지만, 통증이 가라앉기 시작할 때는 조금씩 이전 기억을 망각하게 되고, 어쩌다 한번 예전에 아팠었지 하는 단편적인 느낌만 떠오르게 된다. 드라마틱하게 다음날 자고 일어났더니 통증이 완전히 없어졌어 하는 일은 거의 일어날 수 없는 일이다. 알고보면 그 곳에는 내 노력이 있었고, 노력에 대한 보상으로 통증이 감소되는 것이다. 오십견은 아주 적은 양의 운동일지라도 아무리 힘들더라도 바른 자세로 서서히 적은 가동범위를 유지하며 늘려가는 관리가 있어야 빨리 끝나는 증상이다.

　　오십견이 오는 사람들은 대부분 아프기 때문에 팔을 더 안 쓰게 된다. 아끼다 보면 낫겠지 싶어서 아픈 팔을 정말 소중히 아낀다. 그러다 보면 어느덧 팔의 가동범위가 현저하게 줄어든다. 팔의 움직임에 제한이 생기면 몸이 균형을 잡는데 안 좋은 영향을 끼치게 된다. 영화에 나오는 정신병원 씬에 보면 정신병원에 입원한 혹은 입원하는 환자들에게 입히는 양팔을 묶는 형태의 복장(Straitjacket)을 본 적이 있을 것이다. 이 복장은 보는 것만으로도 압박감을 느끼게 하고, 걷다가 넘어졌을 때 얼굴을 다칠 수 있겠다는 생각이 드는 것처럼 본능적으로 팔에 제한을 느껴 불안감이 높아진다. 마찬가지로 팔의 움직임에 제한이 생기면 몸이 균형을 잃었을 때 큰 부상으로 이어지게 된다. 그래서 겨울에 주머니에 손 넣고 다니면 안 된다고 하는 이유도 같은 데 있다. 어릴 때는 반사신경이 빠르기 때문에 주머니에 손을 넣고 다녀도 넘어지는 순간 빼는 게 가능하지만, 나이가 들면서부터는 넘어지고 아픔이 밀려올 때 '넘어지는구나' 느끼는 경우도 종종 있게 된다. 그만큼 몸의 반응속도가 느려진 것이다. 팔의 움직임은 몸의 균형을 잡는데 주요한 기능을 하고 있다. 그래서 아프더라도 몸의 자연스러운 움직임을 위해 팔의 운동이 필요한 것이다.

오십견은 치료가 우선이 아니라 예방이 먼저 돼야 한다. 어깨가 아프기 시작했다면 간단한 스트레칭부터 시작해 보자.

오십견 스트레칭

스트레칭 1. 벽과 함께

벽에 손을 대고 천천히 가동범위가 허락하는 한 최대한 위로 올린다. 올리기 시작할 때부터 위로 도착할 때까지 조심스럽게 움직여야 한다.

의욕이 앞서 빠르고 강하게 가동범위를 넘기는 동작은 어깨에 다시 한번 더 큰 충격이 가해지므로 통증을 더 증폭시키고, 가동범위가 축소될 뿐이다. 오십견을 위한 스트레칭은 내 의지로 가능한 것이 아니다. 움직일 수 있는 범위도 좁은 데다가 움직임 자체도 어렵기 때문이다. 마음

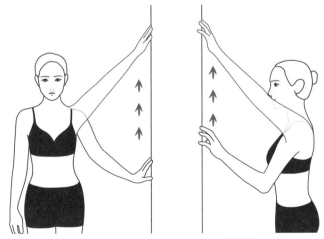

오십견 스트레칭1. 가동범위를 천천히 늘릴 수 있도록 돕는 동작이다

을 비우고 시작해야 빠른 결과를 도출할 수 있다. 평소 똑같은 시간으로 바뀌는 신호등이 있는데, 마음이 급해지면 늦게 바뀌는 느낌이 든다. 배탈이 나서 금방이라도 터질 것 같은 상황에서 왜 안 바뀌냐고 성질을 내도 소용은 없다. 아무리 힘들다고 신호등 앞에서 바지를 내릴 수 없지 않은가? 시간의 절대성은 누구에게나 동일하게 적용된다. 조바심내지 말고 매일 반복하며 가동범위가 늘어나는 것을 보면서 위안을 삼고 버텨내길 바란다.

스트레칭 2. 침대와 함께

침대에 걸쳐 엎드린 상태로 아픈 쪽 팔을 떨어트리고 팔을 앞과 뒤로 천천히 흔들면서 가동범위를 늘려준다. 스트레칭 1과 비슷한 원리다. 스트레칭 2의 경우 통증이 더 심한 사람들에게 도움이 된다. 스트레칭 1을 한 후 어깨를 풀어주는 후반부 스트레칭으로 진행하되, 통증의 강도가 너무 세서 스트레칭 1을 할 수 없는 상황에서는 스트레칭 2를 먼저 하는 것도 좋다.

　이 스트레칭은 압박이 덜 하므로 좀 더 가동범위를 늘릴 수 있다. 다만, 가장 중요한 것은 절대로 무리해서 진행하면 안 된다.

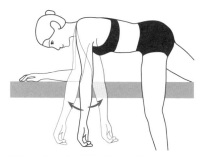

오십견 스드레칭2. 통증이 심한 경우 압박을 줄여서 편하게 할 수 있는 동작이다

스트레칭 3. 짐볼과 함께

유일하게 준비물이 필요한 스트레칭이다. 짐볼을 준비하는데, 짐볼이 없다면 낮은 식탁이나 커피 테이블 위에서 해도 상관은 없다. 무릎을 꿇고 앉아서 짐볼 위에 손을 대고 어깨를 스트레칭하기 위해 짐볼을 굴리기만 하면 된다. 양손을 올리고 밀어도 되지만, 균형 잡기가 불안하다면 한 손은 바닥을 짚고 있어도 상관없다.

오십견의 경우 가동범위가 많이 축소되어 있어 밀 수 있는 거리가 짧은 상태지만 가능한 멀리 밀어내면 있으면 좋다. 본인이 할 수 있는 최대한으로 멀리 밀고 끝에서 잠시 멈춰서 3~5초가량 어깨를 몸의 압력을 이용해 밑으로 누른다. 이때도 너무 무리해서 진행하는 것은 좋지 않다는 것을 명심하자.

한 손으로 진행한다면, 끝까지 밀고 좌우로 5cm가량 움직이면 어깨의 가동범위를 넓히는 데 도움이 된다. 주의해야 할 것은 균형을 잃지 않도록 안정된 범위 이상으로 넘어가지 않는 것이다. 안정된 범위 이상으로 넘어간 순강에는 스트레칭을 바로 중단하고 안정을 취해야 한다.

오십견 스트레칭3. 부드럽게 가동범위를 넓힐 수 있는 동작이다

물고, 씹고 제대로 되십니까? 턱관절

처음 어깨가 아프기 시작할 때, 보통 어깨를 최대한 안 쓰고 아끼는 방법을 택한다. 하지만 어깨를 안 쓰면서 통증이 덜 오는 방향으로 몸을 틀어버리기 때문에 몸채가 휘어지는 증상도 같이 동반된다.

어깨가 아프기 시작할 때 단순히 어깨가 아픈 건지, 다른 부분이 아파서 어깨가 아픈 건지 확인을 해야 한다. 어깨가 아플 때 두통이 같이 오는 경우도 많은데, 이럴 때 가장 많이 의심해야 하는 부분은 턱관절이다. 한참 어깨 이야기를 하다가 갑자기 웬 턱일까 의아스러울 것이다. 의사가 환자의 병 상태를 판단하는 일을 진단이라고 한지만, 근육교정에서는 통증유발점을 찾아내는 게 핵심이다. 어깨가 아플 때 대부분 승모근 즉, 목과 어깨가 이어진 부분을 스스로 주무르거나 샵에 가서 마사지를 받거나 하는 방법으로 급한 불을 끄려고 한다.

하지만 어깨가 아픈 이유는 쉽게는 담에 걸려서 아픈 경우도 있을 수 있고, 목이 틀어져서, 허리가 불편해서 혹은 발가락에 힘이 안 들어가서 등 무수히 많다. 따라서 내 몸의 생활 패턴, 습관, 자세, 환경에 대해 다각도로 읽어내야 한다. 단순히 어깨가 아프다고 어깨만 마사지해서 해결되지 않는 이유이다.

어깨가 아픈 통증유발점을 찾아가다 보면, 목 부분에 목빗근(sternocleidomastoid muscle, 흉쇄유돌근)이 당겨져서 어깨가 아픈 경우를 꽤 만날 수 있다. 목빗근(흉쇄유돌근)은 목을 기울이게 하거나 앞쪽으로 굽히게 해주고, 턱을 당기는 작용도 한다. 이 근육에 문제가 발생하면 쇄골 쪽에서 날카롭게 전기가 오는 느낌, 이명, 이마 쪽 두통, 마른기침 등의 증상이 빌생한다. 외형상으로는 주걱턱을 만드는 등의 전혀 상상도 못 했던 불편함을 유발한다. 그런데 여기서 끝이 아니다. 이 근육이 목을 움직이며, 턱을 당기는 작용을 하는 과정 중에 상상하지도 못했겠지만 어깨를 아프게 하는 근육이 드러나게 되는데, 그 근육이 바로 내익상근(medial pterygoid muscle)이다. 내익상근은 턱 안쪽에 있는 근육으로 턱 아래쪽에서 광대뼈 안쪽으로 붙어 있는 근육이다. 이 근육하고 비슷한 위치에 붙어 있는 근육들은 측두근, 교근, 구개 범거근이 있다. 내익상근, 교근, 측두근, 구개범거근에 문제가 생기면 이들 근육 자체의 통증보다는 전혀 다른 부분이 아프다고 느껴지게 된다.

긴장되면 이를 악무는 습관, 잘 때 이를 가는 습관, 턱을 괴는 습관, 얼굴을 세게 부딪히거나 충격이 있었던 사람에게서 내익상근의 문제가 많이 나타난다. 턱 문제로 어깨가 아플 수 있다고 누가 상상이나 해보았겠는가. 어깨 아파서 치료를 많이 받았던 사람들 중 대부분은 몸의 리딩이 잘못돼서 다른 곳을 치료했던 사람들이 꽤 많은 비중을 차지한다. 원인을 제대로 찾아서 제거하는 것만큼 몸의 완전한 자유를 주는 것은 없다. 그래서 원인을 찾는 몸의 리딩이 굉장히 중요한 부분이고 회복의 첫 단추이다. 하지만 처음부터 원인을 찾아내는 것은 불가능하다. 근육교정을 하면서 자기를 관찰하는 시간을 충분히 가져야 한다. 근육교정을 받게 되면 보통 일주일의 간격을 두고 스케줄을 잡는다. 이는 평소와는 다르게 바로 세워진 근육들이 다시 제자리로 돌아가려는 시점을 기다려서 어떤 근육에 얼마나 통증이 있었는지, 어떤 생활 패턴과 환경, 습관과 자세가 잘못되어 있는지를 세심하게 관찰해서 정확한 문제를 짚어내기 위함이다. 일주일간의 데이터를 기반으로 다음 회차에 근육교정자와 충분히 대화를 나누어야 정확한 리딩이 가능한 것이다.

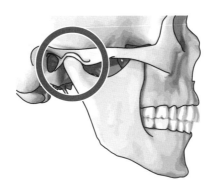

위턱과 아래턱을 이어주는 부위로 이 곳에 위치한 근육에 문제가 생기면 어깨로 통증이 방사된다

　　턱관절 장애라고도 하는 TMJ(temporomandibular joint dys-
function)는 위턱과 아래턱을 이어주는 부분에서 문제가 생겼을 때 어
깨로 통증이 방사되는 경우가 상당히 많다. 위턱과 아래턱이 만나는
조인트 부분에 위치해 있는 것이 바로 내익상근을 포함한 4형제 근육
들인 것이다.

　　턱관절은 신체 내 유일하게 좌우의 관절이 동시에 움직이는 양
측성 관절이어서 동시에 열리고 닫혀야 하는데, 비대칭적으로 관절 운
동이 된다면 당연히 문제가 발생하게 된다. 하다못해 집 현관문이 틀
어져도 잘 열리거나 닫히지 않는데, 예민한 얼굴에서 턱관절이 틀어졌
다면 불편할뿐만 아니라 외형적인 변형까지도 이어진다. 게다가 어깨
까지 불편해지는 원인이 된다면 내익상근의 중요성을 실감하게 될 것
이다. 턱에 오는 불편함을 예방하고, 어깨 통증을 완화시키는 방법은
생각보다 간단하다.

구강 안쪽 턱관절 마사지

어깨 통증뿐 아니라 턱관절의 통증도 한 번에 해결할 수 있는 가장 빠른 방법이며, 한 번 근육을 잡아 놓으면 오랫동안 통증 없이 지낼 수 있다는 특징이 있다. 시작 전 라텍스 장갑이나 위생 비닐장갑을 착용한다.

1. 입을 벌려줄 수 있을 만큼 벌려준다. 단, 온 힘을 다해서 벌리지 말고 편안하게 벌릴 수 있을 만큼만 벌리면 된다.
2. 가운데 손가락 또는 편한 손가락을 입 안쪽으로 넣는다.
3. 아래턱 치아의 끝쪽 잇몸 부위, 즉 위턱과 아래턱이 만나는 부분을 손끝으로 부드럽게 마사지해 준다. 이때 입을 살짝 다물어주는 게 좀 더 편하게 마사지를 할 수 있다.

턱 모양의 변형은 턱관절의 위치 변화로 발생하게 된다. 이 변화는 골반 위치의 변화에 맞물리게 되고, 골반 위치의 변화는 평소에 신경도 쓰지 못하는 발가락에 골고루 힘이 들어가지 못하게 해 몸 전체의 불균형을 초래한다. 결국 어깨 통증 하나로 턱부터 발가락까지 몸 전체 리딩이 필요한 것이다.

현대의학은 점점 세분화되는 추세이기 때문에 어깨는 어깨에서만 해결해야 한다는 논리가 더 강하다. 하지만 사람의 몸은 조립식 장난감처럼 각각의 부품으로 쪼개어지는 것이 아니라 온몸이 상호 관계를 맺고 유기적으로 움직이기 때문에 한 부분에 대한 집중 치료가 온전한 치료로 이어지지는 않는 것이다.

알 턱이 있나, 팔자주름

여성이라면 나이가 들면서 한번쯤 팔자주름으로 고민을 해본 적이 있을 것이다. 팔자주름은 입가 주변에 한자로 숫자 팔을 의미하는 '八'자처럼 생겼다고 해서 붙여진 이름인데, 팔자주름이 생기면 실제보다 훨씬 나이들어 보이는 경향이 있다. 고민으로만 끝나지 않고 많은 돈을 들여 관리를 받는 경우도 흔하게 볼 수 있다.

30대 초반 여성, 팔자주름 때문에 고민인 여성이 있었다. 아직 한창인 30대 초반인 여성은 팔자주름이 깊어지니, 근심도 같이 깊어졌다. 결국 프렌차이즈 샵에서 얼굴을 작게 하는 안면축소와 팔자주름을 없애는데 10회에 300만 원이라는 돈을 썼다고 했다. 샵에서 얼굴 마사지와 팩 등을 했고, 리프팅 하는 화장품과 팩을 따로 100만 원어치 구매를 하고 나서야 팔자주름에 관한 모든 관리는 끝났다고 했다. 그 후로 반년이 안 됐는데, 다시 원상태가 되었고 이번에는 프리미엄으로 관리를 해야 하니 금액이 더 비싸져서 고민을 하고 있다고 상담을 하게 됐다.

팔자주름을 줄이는 것이 정말 가능한 일인가? 결론부터 이야기하면, TMJ 관리나 내익상근 관련 턱관절 마사지만 잘하면 10~20분 안에 팔자주름이 감소하는 효과를 볼 수 있다. 완벽하게 팔자주름을 없애려면 시간이 좀 더 필요하지만, 60대 같은 경우에는 내익상근과 옆머리 주변만 잘 관리해 주면 화장품이나 팩 없이도 팔자주름이 리프팅되는 효과를 볼 수 있다. 이는 얼굴과 얼굴 주변 근육들이 탄력이 떨어지고, 턱관절이 열리고 닫힐 때 균일한 움직임이 떨어져서 오는 경우가 많기 때문이다.

팔자주름을 관리하는 데 있어서도 매우 중요한 부분은 관리 전에 반드시 바른 체형을 유지하고 있어야 한다는 것이다. 바른 체형이 아닌 상태에서 얼굴만 탱탱해지면 얼굴의 비틀림이 더 잘 보이게 되기 때문이다. 얼굴이 틀어지면 아무리 예쁜 얼굴이라고 해도 타인이 보기에는 어색하다고 느껴질 것이고, 자존감도 떨어지게 된다. 그러므로 전체 밸런스가 안정되고 난 다음에 팔자주름을 잡는 것을 추천한다. 순서를 거꾸로 하면 처음엔 당연히 효과가 있어 보이지만 근본적인 해결이 없으므로 다시 원래 상태로 돌아가는 건 시술과 같을 수밖에 없는 것이다. 항상 첫 번째는 바른 체형이고, 그 다음이 미용이다. 바른 체형을 가지고 있다면 팔자주름은 더 빠르게 줄어들게 된다.

힘 쓰면 드러나는 팔꿈치와 손목 통증

어깨 통증은 지긋지긋할 만큼 잦은 불편함을 만들지만 살다가 간헐적으로 불편함을 느끼는 부분도 있다. 힘을 쓰면 아프고, 힘을 덜 쓰면 안 아픈 곳은 어디일까? 바로 엘보라고 불리는 팔꿈치이다.

팔꿈치 통증의 위치에 따라 팔꿈치 바깥쪽이 아픈 경우는 테니스 엘보, 팔꿈치 안쪽이 아픈 경우는 골프 엘보라고 부르기도 한다. 하지만 이 명칭은 그리 큰 의미는 없다. 부상을 입은 선수들이나 과도하게 스포츠를 즐기는 사람들의 아픈 부위가 평균 이상으로 같은 방향을 향하고 있어서 그렇게 붙여진 이름일 뿐이다. 많은 고객들을 만나보면 테니스 치는 사람이 안쪽이 아픈 경우도 많고, 골프 치는 사람이 바깥쪽이 아픈 경우도 많으며, 결국 일상생활 중에 오는 엘보 통증은 다

같이 '팔꿈치가 아프다'로 통한다.

테니스엘보(Tennis elbow)는 외측상과염(外側上顆炎, Lateral Epicondylitis)이라고 하는데, 바깥쪽 위 둘레에 염증이 있다는 의미다. 테니스 엘보를 일으키는 근육은 장요측 수근신근, 회외근이라는 근육인데, 장요측 수근신근은 위팔부터 검지손가락까지 이어져 있고, 회외근은 팔꿈치 아래 요골에 부착되어 있다. 이 근육은 팔을 편 상태에서 무거운 물건을 들 때 통증이 심하고, 빨래를 짜는 동작이나 걸레질을 하는 동작을 할 때 통증이 더 느껴진다.

골프엘보(golf elbow)는 내측상과염(內側上顆炎, Medial Epicondylitis)이라고 하는데, 테니스엘보와 반대로 안쪽 위 둘레에 염증이 있다는 의미다. 골프엘보를 일으키는 근육으로는 굴곡근과 회내근이 있는데, 이 두 근육은 팔꿈치를 구부리고, 안쪽으로 회전할 때 작용하는 근육이다. 이 근육은 팔짱을 끼는 동작에서 단축성 긴장이 많이 발생한다. 골프 엘보로 힘든 사람에게는 특히 팔짱 끼는 습관은 좋지 않다.

엘보 관련 통증을 줄이는 데 중요한 역할을 하는 근육은 상완요골근(Brachioradialis)으로 이 근육은 팔꿈치 관절이 잘 굴곡될 수 있도록 하는 기능을 담당한다. 이 근육에 통증이 발생하면 엘보 통증으로 느껴지는 경우가 많다. 통증을 잡는 포인트로는 곡지혈(曲池穴)이 있는데, 이 곡지혈의 위치는 팔꿈치를 구부렸을 때 가로줄이 생기는 바깥쪽 끝지점으로 혈자리를 눌렀을 때 통증을 느낄 수 있다. 이 혈자리는 엘보 통증뿐 아니라 기혈을 순환시켜 팔뚝의 지방을 제거해 주는 효과도 있다. 그리고 머리가 무거울 때나 눈의 피로가 쌓일 때 눌러주면 가벼워지는 것을 느낄 수 있다.

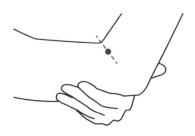

곡지혈(曲池穴). 엘보 통증을 감소시키는데 도움을 주고 기혈을 순환시키는 혈자리이다.

상완 요골근에 이어지는 혈자리로 수삼리(手三里)가 있다. 수삼리는 곡지혈 자리부터 시작해서 엄지손가락 방향으로 2치(손가락 세 개)정도 조금만 따라 내려오면 솟아 올라온 근육이 느껴진다. 이곳은 눌렀을 때 상당한 통증이 느껴지는 곳이다. 테니스 엘보와 손목 통증에도 가장 효과적으로 통증을 완화할 수 있는 곳으로 한의원에서 특히 침을 많이 놓는 부위 중 하나이다. 이 혈자리는 복통과 설사의 증상을 완화시켜주고, 콧물, 코막힘에도 개선 효과를 볼 수 있는 자리이다.

엘보로 고생하는 경우 통증을 줄이기 위해서는 다음과 같이 생

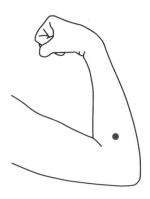

수삼리(手三里). 테니스 엘보와 손목 통증에 도움이 되고 복통, 코막힘에도 좋은 혈자리이다

활 속에서도 신경을 써야 한다.

- 손목을 무리하게 사용하지 않고 충분한 휴식 시간을 갖는다. 빨래를 짜거나, 갑자기 무거운 물건을 힘껏 들어 올리는 일을 자제한다.
- 손목과 팔목의 근육이 긴장하는 시간을 줄인다. 팔짱을 끼는 자세는 가급적 하지 않는 것이 좋다.
- 운동을 하던 중 피로감이나 불편한 통증이 시작될 때는 운동을 멈추고 반드시 휴식 시간을 갖는다.
- 스트레칭으로 근육이 이완할 수 있도록 돕는다.

엘보 스트레칭

스트레칭 1

손바닥이 아래로 손등이 위를 보도록 하고 팔을 앞으로 내밀어 팔꿈치를 곧게 편다. 반대쪽 손으로 손바닥의 손가락 부분을 잡고 위로 올리며, 가볍게 몸쪽으로 당겨준다. 손가락을 당겨주면 팔 아래쪽 근육이 이완되는

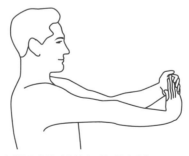

엘보 스트레칭1. 팔 아래쪽 근육을 이완할 수 있는 동작이다

것이 느껴질 것이다. 이 상태에서 30초 이상 유지한 후, 동일하게 2~3세트를 반복해서 스트레칭 한다.

스트레칭 2

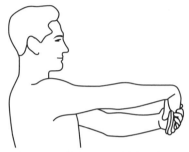

엘보 스트레칭2. 팔 위쪽 근육을 이완할 수 있는 동작이다

스트레칭 1과 동일하게 팔을 앞으로 내밀고 팔꿈치를 곧게 편다. 반대쪽 손으로 손등을 잡아 아래로 내리며, 가볍게 몸쪽으로 당겨준다. 이번에는 팔 위쪽 근육이 이완되는 것이 느껴질 것이다. 마찬가지로 2~3세트 반복한다.

스트레칭 3

팔을 완전히 편 상태에서 중지 손가락을 움직이면 팔에서 움직이는 근육이 보인다. 그 근육을 부드럽게 마사지하고, 꼭 잡고 있는 상태에서 손목을 위아래로 움직여 스트레칭해 준다.

스트레칭 4

오른손을 왼쪽 어깨에 대고, 가운뎃손가락으로 좀 전에 찾았던 근육을 지그시 눌러준다. 근육을 누르는 상태에서 중지 손가락을 부드럽게 움직

엘보 스트레칭4. 엘보 통증을 일으키는 부분을 좀 더 깊게 이완하도록 돕는 동작이다

이면 좀 더 깊게 엘보 통증을 일으키는 부분을 이완할 수 있다.

스트레칭 5

의자에 앉아서 테이블 위에 팔을 걸쳐 놓는다. 손바닥을 위로 세운채 500g 아령 또는 작은 생수통을 들고 손목을 구부린다.

이 동작을 10회 동안 실시한다. 통증이 없는 범위에서 물체의 무게를 늘려 주는 것도 좋다. 이와 같은 동작은 반대로 손바닥이 아래로 향하게 해서 똑같이 진행해 주면 좋다.

엘보 스트레칭5. 통증이 없는 범위의 물세를 들고 움직이며 이완하는 동작이다

엘보 통증이 올 때 손목 통증까지 같이 오는 경우가 많은데, 특히 마우스를 많이 쓰는 업종은 손목 통증이 많이 온다. 손목 통증이 오는 질환 중 가장 흔하게 나타나는 증상을 손목 터널 증후군(수근관증후군, carpal tunnel syndrome) 이라고 한다.

손목터널증후군은 정중신경(median nerve)이 압축되거나 손상이 되면 새끼손가락과 약지 손가락을 제외한 나머지 손가락에서 얼얼거림, 욱신거림, 열감을 동반한 통증이 느껴지는 증상이다. 정중신경과 9개의 힘줄은 손목의 바로 아래 있는 인대로 감싸진 좁은 통로를 지나가는데, 인대가 압박하거나 신경 주위 조직이 부어있는 등의 다양한 이유로 압력을 받게 된다. 손목 터널 증후군은 욱신거리거나 얼얼하고 타는 느낌이 들고 무거운 물건을 들고 쥘 때 악화되는 경향이 있다. 처음 시작할 때는 증상이 간헐적으로 나타나지만, 시간이 지날수록 통증이 지속해서 나타나고 엄지손가락 근육이 약해진다.

손목터널증후군인지 자가진단으로 확인할 수 있는 쉬운 방법은 양쪽 손등을 맞대어 손목이 90°로 굽혀지게 한 상태에서 30~60초 정도를 유지해 보는 것이다. 이때 손목 정 가운데를 손가락이나 마사지 봉으로 압력을 가해보면 정중신경이 주관하는 엄지부터 약지 손가락 절반 부분에 저림이나 통증이 느껴지면 손목터널 증후군을 의심해 볼 수 있다.

손목에 대해서 좀 더 알아보자. 사람의 손목뼈는 여덟 개의 작은 뼈로 이루어져 있다. 그 여덟 개의 뼈를 가로로 덮고 있는 인대를 횡수근인대(가로 손목인대, Transverse carpal ligament) 라고 하는데, 횡수근인대에 압박이 생긴 증상을 손목터널 증후군으로 본다. 그럼 횡수근인대의 압박을 풀어주면 통증이 없어질까? 그렇다. 손에 부목을 대어 주

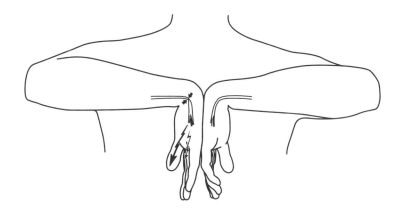

이 동작을 30~60초를 유지했을 때 통증이 느껴지면 손목 터널 증후군을 의심해 볼 수 있다

고, 움직이지 못하게 하면 통증이 줄어든다. 하지만 부목을 대고 움직이지 못하게 하면 일상생활이 불가능하기 때문에 스트레칭과 따뜻한 찜질로 증상을 가라앉히고 재발 방지를 위해 최대한 덜 사용하는 방법을 선택해야 한다. 엘보는 스트레칭과 찜질로 더 이상 효과를 볼 수 없고, 수술을 하지않고 낫는 것이 불가능할 때는 수술로 인대를 절개해 신경에 가해지는 압력을 덜어내는 최후의 방법까지 가야할 수도 있다. 하지만 다행히도 손목터널증후군은 수술까지 가는 경우는 많지 않으므로 관리만 잘하면 손목에 대한 압박을 거의 줄일 수 있다.

손목 스트레칭

엘보 스트레칭 1과 2도 손목 스트레칭으로 활용하면 되며, 그 외에 추가로 손목 통증을 줄일 수 있는 스트레칭으로 아래 두가지를 더 해보자.

스트레칭 1

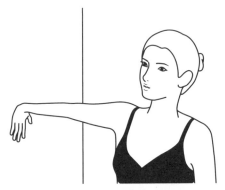

손목 스트레칭1. 목부터 손목으로 내려오는 신경을 자극하여 안쪽 손목을 이완시킨다

중지 손가락이 하늘을 가리키게 세워서 팔을 편다. 손바닥을 벽에 대고, 바깥쪽 방향으로 돌려서 중지 손가락이 땅을 바라보게 한다. 목부터 내려오는 손목 신경을 자극하는 스트레칭으로 이 동작만으로도 안쪽 손목이 늘어나는 느낌이 든다.

이 동작이 익숙해지면 벽에 댄 팔의 반대 방향으로 얼굴을 돌려보자. 가동범위가 늘어나서 조금 더 강하게 스트레칭할 수 있다.

스트레칭 2

손목은 아래팔과 연결되어 있기 때문에 아래팔의 근육이 강화되어야 근본적인 통증을 제어할 수 있다. 손목터널증후군은 많이들 알고 있는 것처럼 장시간 키보드와 마우스를 조작하면서 발생하는 경우가 많다. 키보드를 치는 동작 대부분은 손가락과 손목 주변 근육을 쓸 뿐, 다른 근육엔그리 큰 힘이 들어가지는 않는다. 이때 필요한 운동이 '쥠쥠'이다. 태어나서 쥠쥠을 시켜본 적은 있지만 해 본 기억은 거의 없을 것이다. 물론 엄마나 아빠에 의해서 분명했겠지만 너무 어려서 기억에는 존재하지 않았던 운동을 다시금 추억 저편에서 꺼내 보자.

먼저 두 팔을 완전히 뻗은 상태에서 손가락 전체를 쫙 펴준다. 완벽하게 벌리고 손가락을 다 편 상태에서 주먹을 쥐었다 폈다를 반복한다. 쥠쥠을 아마 백번 하라고 하면 손목과 팔이 당기는 느낌 때문에 다 못 하는 사람도 많을 것이다. 굳이 횟수를 다 채울 필요는 없다. 좀 더 하면 더 빨리 좋아지겠지만 할 수 있는 만큼만 하면 된다. 처음부터 무리할 필요는 없다. 살아가야 할 날들이 많으니 천천히 해도 분명히 좋아진다.

손목은 일상 생활에서 빈번하게 사용되는 근육이어서 불편함이 더 크게 다가올 것이다. 하지만 스트레칭과 쥠쥠이면 충분히 회복될 수 있는 어찌보면 간단한 통증이기도 하다. 꾸준한 관리로 통증을 없애보자.

6장
코어 바로잡기
등, 골반

굳어지기 쉬운 등 근육

목뼈 7개와 허리뼈 5개 사이에서 등뼈는 12개로 구성되어 있으며, 위쪽보다 아래쪽으로 갈수록 뼈의 크기가 점점 커진다. 등뼈 12개에 좌우로 갈비뼈 12쌍이 이어져 있고, 흉곽을 지지해 주면서 내부의 장기 심장, 폐, 위 등을 보호하는 역할을 한다. 등과 가슴을 이어주는 형태이기에 다른 척추 관절보다 비교적 움직임이 매우 적은 편이다. 움직임은 적으니 지속해서 나쁜 자세로 일관하면 다른 곳보다 훨씬 더 굳어지기 쉬워진다.

굽은 등, 둥근 등, 라운드 숄더는 같은 말이다. 이런 등 모양은 숙이고 공부하거나, 빨려 들어갈 것 처럼 모니터를 가까이 보는 자세를 지속적으로 취하는 경우에 많이 발생한다. 근육교정을 했던 분들 중, 특히 학교 선생님들이 라운드 숄더가 많은 편이었다. 등뼈는 능형근 부분에서 통증이 주로 오는데, 능형근은 앞에서 언급한 것처럼 바깥쪽으로 잡아당기면 위험한 곳이다. 등의 통증에 주된 역할을 하는 능형근이 많이 약해졌을 때 나타나는 또 다른 통증의 위치는 가슴 중간 부분이다. 통증이 관통하듯이 가슴 정 가운데로 치고 지나가며 심장이 멎는 듯 순간적으로 다가오는 경우가 많다. 이때 가슴의 통증은 시리듯이 욱신거리는 느낌이 들기도 한다.

등과 어깨, 능형근을 강화하려면, 팔굽혀 펴기가 가장 좋은 운동이다.[2] 팔굽혀 펴기를 할 때는 위, 중간, 아래 방향으로 나눠서 하면 좀 더 큰 효과를 볼 수 있다. 운동하는데, 각도나 방향을 설명한다고 해서 정확하게 맞게 할 사람은 많지 않을 것이다. 게다가 내 몸이 인쇄물처럼 똑같이 만들어진 것도 아니고, 복사해서 붙여넣기 한 것처럼 여러 사람들과 같은 몸이 아니기 때문에 내 몸에 맞는 각도와 방향은 각자의 몸에 맞게 설정하는 것이 좋다. 팔굽혀 펴기를 며칠 하다 보면 능형근 쪽 근육이 끊어질 듯 아플 때가 온다. 그때만 넘기면 자연스럽게 등과 어깨 통증은 사라지게 된다. 돈을 쓰지 않아도, 가장 확실하게 어깨, 등, 가슴 통증을 없애는 방법이다.

팔굽혀 펴기를 하고 난 다음에 쉬기 위해 바로 눕는다거나, 자세를 풀어버리게 되면 고생해서 운동한 효과를 온전히 누릴 수 없다. 10개를 해도 힘든 사람이 있고 30개를 해도 버틸만한 사람이 있겠지만, 어쨌든 운동을 했으면 내 몸의 근육에 자극을 주기 시작한 것이다. 그렇기 때문에 후속 조치를 잘 취해주면 바른 자세를 가지는데 많은 도움이 된다. 앞서 바른 허리 자세에서도 설명했던 방법인데 다시 한 번 복습을 해보자. 팔굽혀 펴기가 끝나면 바로 어깨너비로 다리를 벌리고, 벽에 등을 대고 기대어 선다. 벽에 기대어 설 때는 발뒤꿈치, 엉덩

---

2   상부 등 스트레칭 3을 참고하자.

팔굽혀 펴기를 한 후 바로 해부학적 자세를 해주면 그 효과가 극대화 되어 바른 자세에 도움이 된다

이, 등, 어깨, 손등, 머리가 벽에 완전히 밀착돼야 한다. 이 때 양쪽 어깨를 최대한 벽에 붙이려면 가슴이 벌어지고 허리 부분이 붕 뜬다. 매우 자연스러운 현상이다. 손의 방향도 중요한데, 손바닥이 앞을 향하게 하고 손등이 벽에 닿게 해야 한다.

평소 자세를 생각해 보자. 대부분의 사람들은 손바닥은 몸쪽으로, 엄지는 앞을 향하게 하는 생활 패턴을 갖고 있다. 이렇게 되면 어깨가 안으로 말리는 자세로 굳어지게 된다. 하지만, 손바닥이 앞을 향하게 하고 새끼손가락이 내 몸쪽에 있고 엄지손가락은 바깥쪽에 있도록 자세를 잡아 보면, 어깨가 벌어지는 것을 느낄 수 있다. 어깨가 벌어지는 자세를 취하면 허리는 자연스럽게 펴지게 되는 것이다. 벽에 기댄 상태로 5분 정도 서 있게 되면 불편한 근육들이 자연스럽게 드러나게 된다. 조금만 더 참아보자. 몸이 불편하고 아파서 시작한 것 아닌가. 다시 5분을 버텨보자. 몸이 약했던 사람은 땀이 나고, 다리가 후들거릴 것이다. 10분을 못 버티겠다면 그동안 내 몸을 사랑한 나머지 얼마나 아끼고 사용하지 않았는지 반성해야 한다.

우리 몸은 바른 자세로 정확하게 사용하면, 굉장히 오랫동안 통증 없이 잘 쓸 수 있는 내구성이 탑재돼 있다. 그 내구성은 무시하고, 약이나 남이 치료해주는 것에 기대었다면 지금이 바로 터닝 포인트다. 나 자신과 내 몸을 믿고, 무너졌던 근육의 기능들을 꺼내서 써보자.

상부 등 스트레칭

스트레칭 1
등받이가 있는 의자에 앉아서 머리 위로 깍지를 낀다. 단전(아랫배)에 힘을 주고, 천천히 등을 등받이에 완전히 기대어 가슴을 열어준다.

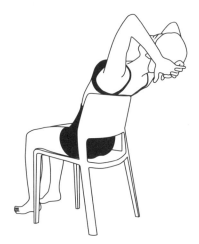

상부 등 스트레칭1. 등의 마디마디의 움직임이 느껴지며 스트레칭 되는 동작이다

등받이가 부드럽게 움직이는 의자라면 등의 마디마다 움직임이 생기는 것을 느낄 수 있을 것이다. 최대한 천천히 5회 정도 반복해 준다.

스트레칭 2

벽 옆에 서서 손바닥을 뒷 목에 대고, 팔꿈치를 벽에 댄다. 그 상태로 천천히 깊게 쭉 눌러준다. 여기서 눌러주는 힘은 팔과 어깨의 힘으로 하는 것이 아니라 체중으로 눌러주어야 한다. 단, 체중으로 강하고 빠르게 힘을 가하면 자칫 어깨가 탈구될 수도 있기 때문에 천천히 해야한다. 이때 늘리고 있는 팔꿈치 쪽 다리를 대각선 뒤로 빼주면 더 깊게 스트레치 될 수 있다. 다리를 대각선으로 빼 주면서 반대 손은 벽을 짚어주면 좀 더 안정감 있게 스트레치가 가능하다. 반대쪽도 같은 동작과 같은 시간으로 동일하게 한다.

상부 등 스트레칭2. 날갯죽지를 늘려주면서 동시에 엘보와 손목까지 안정되게 하는 동작이다

스트레칭 3

상부 등 스트레칭3. 굽은 등을 개선하는데 효과적인 동작이다

방이나 거실 한 모퉁이로 가 보자. 만약 모서리를 활용할 수 없다면 벽을 짚고 진행해도 무방하지만, 모서리를 활용하는 것은 좀 더 많은 가동범위를 확보할 수 있다.. 모퉁이를 정면으로 바라보고 양팔을 90° 높이로 올린 상태에서 팔굽혀펴기를 해 보자. 이 동작도 상, 중, 하 높이를 나눠서 하면 좋다.

실질적으로 이 스트레칭은 대흉근, 소흉근 등 가슴 근육을 스트레치 해 주는 것이지만, 등에서부터 오는 굽은 등 스트레칭과 같은 역할을 하므로 등 부분으로 분류하였다.

스트레칭 4

문틀이나 기둥을 이용한 가슴과 등 근육에 좋은 스트레칭이다. 기둥과 몸이 수평이 되게 선 상태에서, 팔은 "ㄴ"자가 되도록 굽혀서 손바닥부터 팔꿈치까지를 기둥이나 문틀에 댄다. 벽을 잡고 있는 팔과 같은쪽 다리를 앞으로 내밀어 가슴과 등 근육을 스트레치 한다.

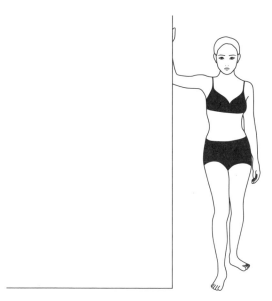

상부 등 스트레칭4. 가슴과 등 근육을 함께 스트레칭할 수 있는 동작이다

이 스트레칭을 할 때도 중요한 것은 의욕을 앞세워 무리하게 가동범위를 넘기게 되면 근육이 다칠 수 있으니 천천히, 할 수 있는 만큼만 늘려야 한다.

등과 허리 강화의 시작, 플랭크

등에는 척추 양옆으로 척추기립근이라는 근육이 버티고 있어서 척추를 지지해주고, 운동이 가능하게끔 돕는 역할을 한다. 연골이 다 닳거나 디스크가 튀어나온 상황에 처해 있더라도 척추기립근의 상태에 따라 통증의 유무가 결정된다. 이가 없으면 잇몸으로 생활하는 것과 마찬가지이다. 기둥이 약해서 있을 때 좌우에서 당겨주는 인장력만 버텨

쥐도 서 있는 것처럼, 척추 뼈 자체가 압박을 당하는 조건에서도 척추기립근만 버텨주게 되면 통증 없이 생활이 가능하다.

등과 허리 라인으로 아래쪽 등 근육을 강화하는 강력한 운동으로 플랭크가 있다. 몸의 중심인 코어(core) 운동의 시작이 되는 기본 운동이고 간단하면서도 척추기립근과 주변부 근육을 빠르게 강화하는 데 효과적이다. 게다가 맨손 체조라고 볼 수 있을 만큼 특별한 도구가 필요하지 않고, 장소에 구애받지도 않는다. 이런 의미에서 운동을 처음 시작하는 일반인들도 쉽게 접할 수 있지만, 운동 중 허리 부상을 입거나 근육통으로 포기하는 경우가 많은 운동이기도 하다.

어느 운동이나 마찬가지지만, 코어 운동은 특히 내 몸의 균형이 정확하게 맞는지 먼저 점검한 후에 해야 한다. 몸이 틀어져 있는 상태에서 코어가 강화되면 몸이 더 강하게 비틀린다. 출발선에서 결승선까지 걷는데, 돌부리에 걸려 넘어지지 않으려고 발만 보고 가다 보면 어느새 궤도를 벗어나 결승선과 점점 멀어지는 상황에 처할 수 있는 것이다. 하지만 몸의 밸런스를 정확하게 맞춘 뒤에 플랭크를 하면 몸의 안정된 코어를 유지하는데 있어 폭발적인 효과를 볼 수 있다.

하부 등 운동

플랭크 1

초보자가 하기에 가장 좋은 표준 자세이다. 팔굽혀펴기를 하는 것처럼 어깨너비보다 약간 더 넓게 팔을 벌리고, 허리와 몸, 머리가 일직선이 되게 30초~1분간 버틴다.

하부 등 운동1. 초보자가 하기 좋은 표준 플랭크 자세이다

플랭크 2

일반적으로 많이 하는 플랭크 자세이다. 팔꿈치로 몸을 받쳐 엎드린다. 팔꿈치가 어깨너비로 몸과 평행을 이루게 하고, 플랭크 1처럼 허리와 몸, 머리가 일직선이 되게 버텨준다. 이 운동으로 허벅지, 골반, 복근 등의 근육이 발달하고 몸 전체의 근육이 안정화될 수 있는 기반이 된다. 근력이 부족한 사람의 경우 무릎을 땅에 댄 채로 시행하는 것이 부상을 방지할 수 있다.

하부 등 운동2. 허벅지, 골반, 복근 등의 근육과 몸 전체 근육이 안정화될 수 있는 자세이다

플랭크 3

플랭크 2에서 한쪽 다리를 천장 쪽으로 들어 올리는 플랭크, 플랭크 1에서 한쪽 손만 천장 쪽으로 뻗고 한쪽 다리를 다른 쪽 다리 위에 놓는 사이드 플랭크 동작 등 다양하게 변형을 주기도 한다. 하지만 이 동작들은 플랭크 1, 2가 어느 정도 몸에 익숙한 상태에서, 스스로 확신이 생긴 후 진행하는 게 좋다. 섣불리 시작했다가 복압으로 버티지 않고, 허리를 굽히

하부 등 운동3. 등과 허리 근육을 단련하여 통증을 완화할 수 있는 변형된 플랭크 자세이다

면서 복부에 충분히 힘이 들어가지 않아 다치는 경우가 상당히 많기 때문이다. 또한 등을 충분히 평평하게 유지해 주어야 하는데 엉덩이를 너무 치켜 올리는 경우도 부상의 위험을 높이게 된다. 유지 시간을 확인하기 위해서 고개를 숙이거나, 버티는 것에 집중한 나머지 숨 쉬는 걸 잊는 경우도 많다.

부상의 위험을 높이는 상황을 주의해서 제대로 된 자세로 플랭크를 하게 되면 등과 허리에 최적화된 운동임에는 틀림없다. 등 근육을 단련하는 것은 처음엔 티가 나지 않고 그렇게 중요한 운동으로 인식되진 않지만, 등과 허리의 연결된 통증을 잡고 밸런스를 안정되게 잡아주는 가장 효율적인 운동이다.

흔들리지 않는 주춧돌, 골반

한옥을 본 적이 있는가. 한옥을 지탱해 주는 가장 핵심이 되는 곳을 대부분의 사람들은 지붕을 받치는 기둥이라고 생각하기도 한다. 하지만 그보다 더 중심이 되는 곳은 기둥 밑의 주춧돌이다. 현무암처럼 열과 화학적 변화에 강하고 단단한 돌을 지붕과 기둥을 받치는 초석으로 쓰는 것처럼, 사람에게서도 가장 중추적인 역할을 하는 곳은 척추를 받쳐주는 골반이다. 주춧돌이라고 불리는 초석이 무너지게 되면 기둥뿐 아니라 지붕도 흔들리게 된다.

주변에서 종종 턱관절을 교정하는 사람들을 보게 된다. 턱관절이 틀어진 사람들의 특징을 잘 관찰해보면 걷는 모양이나 엉덩이 위치가 틀어져 있음을 쉽게 발견할 수 있다. 그래서 턱관절이 틀어진 사람들은 엉덩이, 즉 골반 밸런스를 잡아주게 되면 긴 시간과 큰 비용을 들이지 않아도 빠르게 턱관절이 안정되고 턱 모양도 잡힌다. 이 현상은 몸의 중심이 잡히면서 위로 흔들리지 않도록 견고하게 받쳐주기 때문이다. 아무리 지붕을 수리해도 받쳐주는 기둥과 주춧돌이 깨져서 균형이 맞지 않으면 서 있는 것 자체가 불가능하다.

순서가 뒤바뀌면 빠른 결과물을 얻어내는 것이 어려운 것처럼 이제 A, B, C를 막 떼기 시작했는데 토플책으로 영어 공부하라고 하는 것과 다름없다. 무수히 공부하다보면 언젠가는 잘할 수도 있겠지만 속도는 그만큼 늦어질 수밖에 없다. 스틱(수동기어) 자동차를 운전해 보면 속도에 맞는 기어를 넣어야 제대로 된 속도를 낼 수 있다. 기어를 3단에서 시작하면 차가 출발할 수 없다. 바른 체형을 위해서는 골반과 허리의 밸런스를 정확하게 맞추고, 근육을 안정적으로 움직이도록 하는 것이 가장 중요하다. 턱을 먼저 교정하기보다 골반의 안정화를 최우선 과제로 삼아야 하는 이유가 여기에 있다.

문제의 시작이 되는 골반

골반이라고 흔히 말하는 엉덩관절은 생식기와 다리를 감싸고 있는 관절이다. 다리는 가동범위가 적은 대신 굉장히 견고하고 상체를 버텨낼 수 있으며, 몸을 움직이는데 가장 중심이 되는 역할을 해내고 있다. 엉덩관절은 운전하기, 걷기, 계단 오르내리기, 달리기 등 기능적 동작들을 많이 수행하게 된다. 이렇다보니 질환과 손상이 비교적 흔히 발생하게 되고, 나이가 들수록 그 발생 빈도도 높아지게 된다. 엉덩관절에 문제가 발생했을 때 흔하게 느끼는 통증들 중 하나는 저림이나 뻐근한 느낌이 발가락까지 뻗어가는 좌골신경통이다. 몸에서 가장 긴 신경인 좌골신경에 발생한 손상, 염증, 압박 등으로 허벅지, 종아리, 발을 따라 나타나는 욱신거림, 편측성(한쪽만) 얼얼함, 엉덩이와 다리의 통증을 의미한다. 통증은 처음엔 가볍다가 어느 순간 갑자기 폭발하여 움직일 수 없을 정도로 힘들게 만들기도 한다.

　　강의 도중 50대 아주머니에게 질문을 받은 적이 있었는데, "선생님, 좌골신경통은 많이 들어봤는데, 우골신경통은 뭔가요?" 안타깝게도 우골신경통은 없다. 좌골신경통의 좌(坐)는 앉을 좌를 의미한다. 좌골신경통은 무릎을 접고 쪼그려 앉는 동작을 하면 좌골신경을 잡아당기는 동작이 되므로 증상이 악화된다. 일상생활 에서도 지속적으로 통증이 오기 때문에 통증이 없는 편한 자세를 찾는 것이 어려운 편이지만, 쉴 때는 좀 나아지는 경향이 있다.

하지만 휴식 시 혹은 취침 전이나 잠들 때 통증이 느껴진다면 좌골신경통이 아니라 하지 불안 증후군일 수 있다. 하지 불안 증후군은 보통 힘을 빼고 누운 저녁, 잠들기 직전이나 자고 있을 때 일어나는 통증을 의미하는데 정확한 원인이나 치료 방법은 알려진 게 없고 주로 스트레스성 증상으로 판단한다. 하지 불안 증후근을 좌골신경통으로 오진하게끔 만드는 근육이 따로 있는데, 바로 소둔근(작은볼기근)과 이상근(궁둥구멍근)이다. 이들 근육의 움직임이 제한되고 근육이 과하게 경직되기 때문에 허벅지부터 발까지 전기가 오듯이 찌릿한 느낌과 통증이 발생하는 경우가 많다. 좌골신경통으로 위장한 소둔근의 문제는 삶의 질을 매우 많이 떨어트린다는 것이다. 조금만 걷다 보면 너무 심하게 저려서 어디든 앉아 5분 이상 쉬어야만 다시 걸을 수 있을 정도의 컨디션으로 회복되기도 한다. 이상근이 단축되면 걸을 때 엉덩이를 좌우로 흔들면서 걷게 되는 불안한 걸음 걸이가 형성된다. 이런 걸음걸이 때문에 골반의 균형이 뒤틀리게 되고, 치마를 입었을 때 계속 치마가 돌아가는 현상들이 발생하게 된다.

골반 스트레칭

스트레칭 1

똑바로 누워서 등은 최대한 바닥에 붙이고 한쪽 다리를 책상다리하듯이 접어서 가슴 방향으로 당겨준다. 이때 무릎이 바깥이나 안으로 가지 않도록 정확하게 같은 쪽 가슴 방향으로 당겨줘야 한디.

골반 스트레칭1. 엉덩이 근육과 허벅지 뒷면의 큰 근육을 이완하는 동작이다

이 스트레칭은 요통과 좌골신경통에 가장 많이 관여하는 엉덩이 근육과 허벅지 뒷면 전체에 붙어있는 큰 근육들을 스트레칭하게 된다.

스트레칭 2

누워서 한쪽 무릎을 세운후 바깥 쪽으로 접어준 다. 그 위에 반대쪽 다리를 얹어서 눌러준다. 밑에 깔린 무릎이 안쪽이나 바깥쪽으로 틀어지지 않도록 주의해야 한다.

이 스트레칭은 허벅지 앞과 바깥쪽 근육으로 구성된 대퇴사두근[3]을

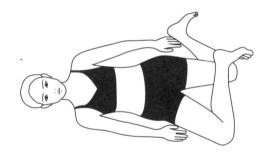

골반 스트레칭2. 허벅지 앞과 바깥쪽 근육을 안정시키는 동작이다

---

3   대퇴사두근은 무릎관절을 신전하며 고관절을 굴곡시키는 역할을 한다.

안정시키는데 탁월한 효과가 있으며, 허벅지 안쪽 봉공근[4]도 함께 스트레칭되어 엉덩이, 허벅지, 무릎에 영향을 주는 근육을 한 번에 스트레치할 수 있다. 다만 잘못 시행할 때 허리 통증이 오는 경우가 있으니, 반드시 허리와 무릎까지 곧게 뻗어 있어야 함을 잊지 말자.

두 가지 스트레칭은 골반이 틀어져 있어도 큰 영향을 받지 않기 때문에 남녀노소 누구나 편하게 따라 할 수 있는 동작이다. 간단하지만 허리 통증과 좌골신경통을 가라앉히는데 주요한 역할을 한다. 땀을 흘리며 하는 동작이 아니기 때문에 자려고 누웠을 때 하면 좋다. 잠들기 5분 전쯤 하루를 정리하는 생각을 하면서 하기에 완벽한 운동이다. 스트레칭 하나를 한쪽 다리씩 번갈아 가며 1분씩만 해 주면 평생 허리 아플 일은 없다. 하지만 이 동작을 진행해도 허리가 계속 아프다면 추후에 나오는 허리 스트레칭을 참고해 보자.

말 못 하는 비밀, 생리통

청소년들에게 나타나는 변화 중 가장 큰 변화는 2차 성징이 나타나는 시기가 빨라진다는 것이다. 이렇게 촉진되는 이유는 오염된 환경과 더불어 풍족해진 먹거리와 쉽게 먹고자하는 욕구가 맞닿아 만들어낸 인스턴트, 가공식품의 섭취 비중이 높아진 것도 큰 역할을 했다고 생각한다. 우리 입맛이 자연에 가까운 맛에 길들여지기 이전에 자극적이면서도 편리한 가공식품과 인스턴트에 익숙해져 합성 조미료가 들어가

---

4 봉공근은 무릎관절의 내회전 및 고관절의 외회전에 작용한다.

지 않으면 이미 입에서 거부하게 되는 것이다. 그렇게 섭취하는 식품첨가물은 합성 조미료만 있는 것이 아니고 각종 합성착색제, 표백제, 발색제, 살균제, 품질유지제, 산화방지제, 인공향료 등이 필요에 따라 포함되어 간편하게 오래 먹을 수 있게 된 음식과 함께 몸에 들어 온다.

예로부터 먹거리는 생명을 보존하기 위한 필수요소인 의식주 중한 요소로 중요하게 여겨졌다. 하지만 영양과잉의 시대에 살고 있는 지금은 단순히 기호에 따라 소비하게 되는 호불호로 선택되어지는 것에 불과하게 된 것이다. 인스턴트나 가공식품이 아니더라도 식재료 자체는 또 어떠한가. 일례로 유제품은 우유로 만들어진 제품이다. 치즈, 요쿠르트, 아이스크림, 빵 등등 이렇게 많은 식품들의 원재료가 되는 우유는 괜찮을까? 몇 해 전 미국에서 시판되는 우유에 성장촉진제, 항생제, 항암제, 소염제, 호르몬제가 포함돼 있다는 기사로 미국 낙농가가 큰 타격을 입었다. 이 기사가 사실이라는 전제를 두고 생각해 보면 두가지 큰 문제가 발생한다.

첫째, 모든 포유류는 초경과 폐경이 있다. 어미의 몸에서 태어난 모든 암컷은 번식을 위해 일정 시간이 지나면 배란 후 수정되지 못한 난자는 생리를 통해서 몸 밖으로 배출되게 된다. 정상적인 시기와 패턴으로 초경이 시작되어야 암컷이 생물로서의 생리적인 패턴을 지닌 채 살아갈 수 있게 된다. 하지만 이런 시스템을 무시하고, 성장촉진제와 호르몬제가 투여된 우유를 다량 섭취하게 된다면 암컷으로서 정상적인 생리 패턴은 무너지게 되는 것이다.

둘째, 이렇게 성장과 호르몬의 불균형을 가진 생명체의 우유를 다량으로 섭취하는 동물은 지구상 최상위 포식자인 인간이다. 어미의 품을 벗어나 혼자서 씹고, 먹을 수 있는 단계에 이르렀지만 계속해서 우유를 섭취하는 동물은 인간밖에 없다. 결국 인간은 직접적인 투여를 하지 않았음에도 항생제, 성장촉진제, 호르몬제 등 다양한 주사를 체내에 축적하게 된다. 그 때문에 유제품을 많이 먹는 청소년들은 덩치만 커지는 불균형적인 성장을 보이며, 그로 인해 키는 큰데 체력은 10년 전 청소년들에 비해 뒤처지게 되는 일이 발생하게 되는 것이다. 이런 일은 비단 우유에만 국한된 일은 아닐 것이다. 고효율 대량생산을 목표로 하는 한 육류, 과일, 채소 모두 비슷한 상황인 것이다.

이런 먹거리 문제를 위시해서 오염된 환경까지 더해져 점점 청소년들의 초경이 빨라지게 되고, 먹거리의 불균형이 초래한 때이른 성장은 골격과 근육이 완성되기 전 부피만 커져 영양가 없이 자라난 식물처럼 되어 버렸다. 이때 부자연스러운 급속한 성장 과정에서 형성된 근골격계로 인해 몸 전체를 쓰는 패턴에 문제가 발생하고 몸이 쉽게 비틀리게 된다. 동시에 급증하는 문제가 바로 생리통이다. 병원의 생리통 치료 패턴을 보면, 진통제를 먼저 투여하고 진통제가 효과 없으면 호르몬 억제제를 투여하는 방법을 취한다. 그렇게 당장의 통증을 줄이는 데 집중하다 보니, 근본적인 문제가 해결되지 않는 것을 볼 수 있다. 한의학에서도 어혈을 풀어주고 자궁을 따뜻하게 해 주는 한약을 처방하여 생리통을 줄이는 데 집중하고 있다. 이러한 방법들도 유의미한 효과는 있을 것이다. 하지만 또다른 방법을 찾기 위해 관점을 달리해 보자.

선천적인 장애가 있는 사람을 제외하고, 모든 사람들은 태어났을 때 정상적인 골반을 가지고 있다. 하지만 대부분은 청소년기에 오랜 시간 책상에 앉아서 끝이 없는 공부와의 전쟁으로 바른 자세를 유지할 수 없게 된다. 그 때문에 자세가 틀어지고 골반의 위치가 비틀리게 된다. 뒤틀린 골반이 자궁을 압박하기 시작하는 것이다. 생리는 배란된 난자가 정자를 만나지 못하면, 아이를 위해 준비해 두었던 자궁내막이 무너져 내려 흘러나오게 되는 피이다. 생리를 하는 여성분들 중에 생리통으로 고생하는 분들이 많은데, 아무리 심한 사람이라고 할지라도 보통은 격월로 심하게 아파오는 패턴을 보이게 된다. 이는 비틀린 골반을 가지고 있을 때, 자궁의 압박이 적은 골반쪽에서 난자가 배란되면 생리통이 감소하고 자궁의 압박이 큰 골반쪽에서 난자가 배란되면 생리통이 더욱 심해져서 격월의 패턴이 생기는 것이라고 보면 된다. 여성들은 몸 전체, 특히 골반의 위치가 바른 자세를 유지해야 생리통을 빠른 시일 안에 잡을 수 있다. 하지만 바른 자세를 잡기까지는 충분한 노력이 필요하다.

30대 A 씨는 고등학생 때 오랜 시간 책상에 앉아 있으면서 허리에 심한 압박감을 느끼고 다리가 붓기 시작하고 정신적으로도 스트레스를 많이 받았다. 이렇게 몸과 마음이 불편하던 중 생리통이 시작됐다. 성인이 된 후 생리통은 더욱 심해졌고, 생리가 시작되기 전부터 진통제를 먹고 준비를 해야 했다. 생리가 시작되면 4시간마다 진통제를 먹으면서 버틸 정도로 매우 심각한 상태였다. 그렇게 버티면서 알게 된 것은 격월로 더 심한 달이 있고 덜 심한 달이 있다는 것이었다. 리딩을 해보니 골반이 심하게 비틀어져 있어서 치마는 항상 왼쪽으로 돌아가는 상태였고 소화기능이 떨어져서 아무리 먹어도 마른 몸매를 유지하고 있었다. 상담을 하면서 두통이 올 때는 눈물이 나고, 속이 울렁거려서 업무를 할 수 없었기 때문에 종종 월차를 쓰곤 했다는 것도 알게 되었다. 골반이 비틀리면서 시작된 생리통과 함께 몸의 기능이 떨어지면서 나타나는 많은 증상들이 생활 전반에 불편함을 초래했다. 정확한 리딩 후 근육교정을 통해 불편한 부분들을 잡아가기 시작하면서 간단한 운동을 가르쳐 주었다. 매일 운동을 반복하는 노력으로 오랜 시간 동안 고통받은 생리통, 소화불량, 두통이 석 달만에 가라앉았다.

청소년기부터 시작된 통증인데 석 달정도에 가라앉을 수 있다면 해볼만 하지 않은가. 다만 그 시간을 앞당기는 것은 잘못된 습관을 뿌리치고 매일 나의 노력이 반드시 있어야 가능하다는 것을 잊지 말자.

생리통 스트레칭

앞서 소개한 두 가지 골반 스트레칭은 기본적으로 매일 해야 한다. 항상 자기 전에 누워서 하기만 하면 허리와 골반으로 오는 불편한 느낌은 사라지게 될 것이다. 골반 스트레칭에 더해 생리통에 좋은 스트레칭으로 벽에 기대어 하는 동작이 있다.

등을 벽에 기댄 상태로 두 발을 어깨너비로 벌리고 발을 천천히 앞으로 50cm 정도 나가게 한다. 이때 머리, 어깨, 등, 엉덩이는 벽에 붙인 상태에서 천천히 내려온다. 여기서 중요한 것은 발 방향이 밖이나 안으로 향하지 않고 11자를 유지해 줘야 한다. 쉽게 벽에 기댄 투명 의자라고 생각하면 좋다. 서서히 내려올 때 허벅지에 힘이 들어가는 느낌이 들 것이다. 우리가 흔히 알고 있는 스쿼트 동작을 벽에 기대서 하는 것이다. 허벅지에 힘이 들어가서 근육이 단단해지는 것이 느껴지면 20~30초 정도 버틴다. 다시 천천히 올라갔다가 내려오는 것을 총 10회 반복한다. 의자

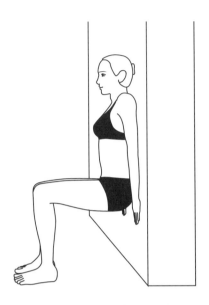

생리통 스트레칭. 허벅지 바깥쪽 근육을 발달시키고 골반의 정렬을 잡아주는 동작이다

에 앉는 각도에서 좀 더 밑으로 내려가게 되면 허벅지에 힘이 더 들어가게 된다.

이 운동의 효과는 허벅지 바깥쪽 근육의 발달을 도와줌으로써 골반의 정렬을 잡아준다. 골반의 균형이 맞춰질 때 골반이 담고 있는 내부 생식기의 위치도 안정적인 위치로 돌아가게 되므로 생리통을 잡는 것은 어려운 일이 아니다. 운동과 바른 자세를 통해 매일의 노력만 한다면 짧게는 두 달만에도 생리통을 잡을 수 있을 것이다.

다만, 항상 주의해야 할 것은 운동을 시작하기 전에는 반드시 내 몸의 정확한 리딩과 그에 맞는 근육교정을 한 후에 시도해야 한다는 것이다. 모든 운동은 내 몸이 바로 선 후에야 원하는 효과를 빠르게 얻을 수 있다.

여성의 몸에 생리통이 오는 근본적인 이유는 골반의 위치가 무너졌기 때문이라는 것을 인지하고, 바른 자세와 스트레칭을 생활 속에서 의식적으로 유지해 주는 것이 중요하다. 그래서 어깨를 펴는 해부학적 자세를 계속 생각하고 노력해야 한다. 바른 자세가 형성되면 우리 몸에 생기는 통증과 불편한 증상들을 예방할 수 있는 것이다. 몸이 아픈 후에 치료에 힘쓸 것이 아니라 아프기 전에 예방에 힘써야 한다.

　　골반에 찾아오는 통증과 불편함은 정작 골반 자체에서 오는 것보단 허리에서 시작되는 경우도 꽤 많다. 허리 통증은 보통 후상장골극(골반뼈 뒷면에서 제일 위에 있는 돌기, 허리에서는 제일 아래 엉덩이가 시작하는 부분) 근처에서 통증이 오는데, 어르신들은 보통 엉치가 아프다고 표현한다. 보통 남자보다는 여자들에게서 허리 아프다는 표현을 많이 듣게 되는데, 대부분 산후 관리가 잘 되지 않고 그 피로감이 누적되면서 엉치가 불편한 상황들이 많이 발생하기 때문이다.

　　2차 대전이 끝나고 난 후 1946년~1965년에 출생한 사람들인 베이비붐 세대와 1960년대 태어나 1980년대 대학을 다니며 학생 운동과 민주화 투쟁을 했던 386 세대, 이들 두 세대는 현재도 경제의 주역이며 실질적으로 한국 경제를 일으킨 세대들이다. 이 세대들은 온갖 고생을 하고 피나는 노력으로 가족을 먹여 살리기 위해 힘써 일했던 사람들이기 때문에 몸 관리라는 것은 극히 상위 계층의 사람들을 제외하고는 신경 쓸 여유도 없이 살아온 세대이다. 가난이라는 어려움 속에서 지금 당장 살아야 했고, 몸에 신경을 쓸 수 있는 돈은 더욱이 없던 억척스럽고 고집 있게 살아왔던 것이다. 그렇기 때문에 출산 후 관리라는 것은 생각도 못 하고, 밭에서 일하다 애 낳고 다시 가서 일했다는 이야기가 나올 정도로 고단한 삶을 살았던 시대의 사람들이 지금은 모두 아픈 것이다.

그러면 공주처럼 살아와도 나이가 들어 아픈 사람들은 왜 그럴까? 몸 관리 방법을 정확하게 몰랐기 때문이고, 몸에 대한 소중함을 인식하지 못하고 관리를 제대로 안 했기 때문이다. 내 몸의 주인은 언제나 '나'이다. 내 몸이 아프다면 결국은 내 섭생과 내 행동 패턴에 문제가 있는 것이다. 남이 내 인생을 대신 살아주지 않는 것처럼 내 선택으로 인한 결과물은 겸허히 받아들여야 한다. 자동차도 출고된 지 4년이 지나면 정기검사를 받는다. 자동차도 산으로 들로 다녔던 차들은 좀 더 빠른 마모가 시작된다. 하지만 관리가 잘 된 차들은 50년이 지나도 겉과 속이 새것처럼 깨끗한 상태로 유지된다. 사람의 몸도 관리가 필요하다. 기계는 닦고, 조이고, 기름칠해서 다시 쓰거나 부품을 교체해서 수명을 더 늘리기도 하지만 사람은 불가능하다. 많이 아프니까 이번 생은 여기까지 하고, 다음 생에 이어서 다시 살 수 있는 게임 캐릭터도 아니지 않는가.

이 책은 처음부터 끝까지 바른 체형, 건강한 생활에 관해서 이야기 한다. 결국 내가 아픈 이유는 체형이 무너졌기 때문이고, 건강하지 못한 생활을 하기 때문이다. 남이 가르쳐 주고 치료해 주는 것에 기대기보다 나에게 맞는 운동 하나라도 내 몸을 움직여 실천해 보자.

삼칠일로 보는 산후관리

우리의 부모 세대는 관리를 못 했으니, 내 딸은 관리했으면 좋겠다는 부모의 마음은 모두 같을 것이다. 갓 태어난 아이를 체계적이고 위생

적으로 안전하게 보살펴 주고 초보 엄마에게 교육을 해주는 산후조리원이 1997년경부터 생겨나기 시작했다. 산후조리원에서 산모를 관리해 주는 방법은 매우 좋으나, 한 가지 문제가 있다면 그것은 부종을 제거한다고 마사지를 하거나 틀어진 골반을 맞추는 프로그램을 제공한다는 것이다.

예로부터 조상들은 삼칠일(三七日, 세이레)이라고 해서 중요한 일이 발생한 날로부터 7일이 세 번 지날 때까지 금기(禁忌)를 지키거나 특별한 의미를 두어 조심하는 기간을 두었다. 출산 후 대문 앞에 쳐두는 금줄도 그 중 하나이다. 이는 새 생명과 산모를 외부로부터 보호하는 격리의 의미였다. 현대에 와서 집 앞에 금줄을 치거나 격리를 하는 등의 문화는 없어졌다. 몇 년 전까지만 해도 출산 후엔 한여름에도 보일러를 켜서 방을 데워놓는 옛 문화를 유지하기도 하였으나, 산과·부인과가 발달하면서 최근들어 점점 더 산모의 자유에 촛점을 맞추는 추세이다. 더우면 에어컨을 켜도 되고, 차가운 음식도 자유롭게 먹기도하는 것이다.

그렇다면 조상들은 왜 삼칠일을 지켜 아이와 산모 몸에 손대지말라고 했을까? 약 10개월이라는 임신 기간 동안 뱃속에서 아이가 점점 커지면서 산모가 느끼는 허리와 등, 어깨, 목의 압박도 같이 커지게된다. 자궁은 임신 전엔 약 7~8cm, 40g의 무게로 달걀만 한 크기 정도이다가 임신 후반에는 길이 36~40cm, 800~1,000g의 무게로 길이와폭이 약 6배, 무게는 20배가량 커지게 된다. 이렇게 큰 부피로 변한 기관에서 아이가 좁은 산도를 지나 나올 때 골반관절이 벌어지고, 온몸에 힘을 주는 진통의 출산 과정을 지나야 하나의 생명이 탄생할 수 있다. 힘겨운 출산을 미치고 관절과 근육이 온전히 회복되지 않은 상태에서 부종을 없애는 마사지나 골반 교정을 하게 되면 당시에는 시원하고 부종이 줄어드는 것처럼 보이나, 산모의 몸에 외부의 압력이 가해지면서 관절이 비틀리고 근육이 손상될 확률이 높아진다. 또한 분만 후에 혈액, 자궁 내벽에서 탈락된 점막, 세포 등 여러 가지가 섞인 분비물이 나오는 오로(lochia, 惡露)는 보통은 1~2주 사이에 나타나지만, 끝나는 시기는 개인별로 차이가 많다. 이때 부종을 빼는 마사지나 골반을 조여 놓는 교정을 하게 되면 많은 분비물들이 한 번에 나오기도 하는데, 이는 바람직하지 않다. 게다가 모유 수유를 하며 불안정한 자세 때문에라도 골반과 허리가 자연스럽게 비틀어지고 불편해지는데, 부종 빼는 마사지와 골반 교정은 이를 더 가속화 시키는 것이다. 삼칠일이 지나기도 전인 1~2주라는 짧은 기간 내에 산모의 관리를 끝내야 하는 산후조리원의 상업적 프로그램일 뿐, 산모의 안전과 건강을 위한 보상으로 생각하고 받으면 앞으로 더 힘들어질 뿐이다. 산후조리원 시스템 자체는 산모를 위해 정말 좋은 것임에는 틀림없지만, 이런 부분은 조심해야 할 것이다.

　　출산한 여성 중 임신 전엔 허리가 이 정도로 아프지 않았는데, 출산 후 허리가 아프다는 사람을 많이 만날 수 있다. 아이를 키우면서 아파질 수도 있겠지만, 산후조리원에서 이미 아플 조건을 만들고 돌아왔을 수 있다는 것을 상상이나 해보았겠는가. 출산 직후에 무리하게 관리받지 않아도 출산 전의 골반으로 되돌리는 것은 어렵지 않다. 출산 후 약 50일 정도 지난 뒤 골반을 조이게 되면 출산 후에 못 입고 모셔둔 임신 전에 입던 청바지를 바로 입을 수 있다. 골반의 안정은 물론 애플힙까지 적합한 시기에 근육교정을 하고 관리만 하면 충분히 유지할 수 있다.

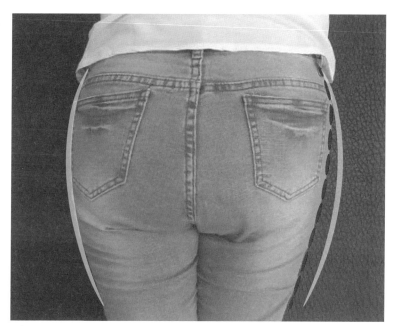

출산 50일 이후 근육교정으로 깔끔하게 골반을 줄일 수 있다. 빨간 선이 교정 후 변화를 보여준다

7장
코어 바로잡기
허리, 배

옮겨다니는 통증

사람은 제일 아픈 곳을 중심으로 통증을 기억하도록 시스템이 구성되어 있다. 엊그제는 허리가 아팠는데, 어제는 허리랑 어깨가 같이 아프다. 그런데 오늘은 허리, 어깨, 목이 동시에 아프다. 이렇게 매일 아픈 곳이 늘어가기만 한다면 사람이 삶에 희망이 있을까? 통증을 느끼는 강도나 빈도는 각자 다르고, 참을 수 있는 인내도 사람마다 다를 것이다. 하지만 통증 자체를 좋아할 사람은 아무도 없다.

    오늘은 통증이 허리에 있는데, 여기가 좀 좋아지고 나니 어깨가 아프다는 사람들이 있다. 이것은 원래 안 아프던 어깨가 갑자기 아픈 게 아니라, 허리의 통증이 어깨보다 상대적으로 더 컸기 때문에 어깨의 통증이 사실은 덜 느껴졌다고 보아야 한다. 그래서 사람들은 통증이 여기저기로 옮겨 다니는 것처럼 느껴진다. 허리통증도 마찬가지다. 어느 날은 엉치쪽이 아프다가 왼쪽, 오른쪽 번갈아가면서 통증이 왔다가곤 한다. 엉치쪽 통증을 일으키는 주된 근육은 어디일까? 허리와 골반의 통증이 시작되도록 하는 근육 중에 바로 요방형근이 있다. 요방형근(腰方形筋, quadratus lumborum muscle)은 아침에 자고 일어났을 때, 못 일어날 만큼의 통증을 일으키기도 하는 근육이다. 잠이 덜 깬 상태에서 갑자기 일어난다든지, 누워 있던 상태에서 몸을 갑자기 트는 행동들이 이 근육의 긴장도를 높여서 순간적으로 근육의 손상이 생기는 것이다 . 보통 요방형근이 갑자기 긴장도가 높아져서 통증이 느껴지면 앉지도 눕지도 못하고 45° 정도로 어정쩡하게 앉아서 통증이 줄어들길 바라며 시간을 보내거나 화장실 가기도 힘들테지만 기어서라도 화장실에 가면 나오는 것은 더욱 엄두가 나지 않을 것이다. 어찌할바를 몰라 구급차에 실려가기까지 한다. 이런 상황들은 며칠이 지나가면 좀 나아지는 느낌이 든다. 이렇게 불편하고, 답답한 컨디션은 보통 2~3주 정도 지속되다가 점차 일상생활이 가능해진다. 대부분 허리에 긴장도가 높아진 상태를 인지하지 못 하고 있다가 갑자기 움직여 문제가 생기는 것이다.

어느 날 아침 갑자기 움직일 수 없는 통증으로 찾아오는 요방형근에 대해 더 알아보자.

숨을 쉴 수 없이 아픈 허리 통증, 요방형근

50대 후반인 S 대 교수님은 일 중독이어서 하루에 3시간 이상은 자지 않고 학문과 사업에 열정을 다하시는 분이다. 아침 7시에 전화가 왔다. 사모님이 전화해서는 아침에 일어나 제대로 앉지도 못하고, 서지도 못하고 어정쩡하게 있는 게 2시간이나 지났다고 한다. 자고 있을까 봐 일

찍 전화도 못 하고, 7시까지 기다렸다가 전화한다고….

　　막히는 출근 시간을 뚫고 교수님 댁에 방문했더니, 표현 그대로 어정쩡한 자세로 땀을 뻘뻘 흘리며 앉아 있었다. 반가워도 반가워할 수 없어 어색한 인사로 아침을 열었던 날의 기억이다. 이 근육은 허리 근육을 이루는 근육들 중 하나로, 골반 윗부분 능선에서 시작해서 허리뼈 가로 돌기와 마지막 갈비뼈(12번 갈비뼈)에 붙어 있는 근육이다. 이 근육을 찾아서 누르게 되면 다른 근육과는 달리 즉각적으로 날카롭게 통증이 생기며 굉장히 불안한 느낌이 드는 곳이다.

　　갈비뼈는 등뼈 12개 좌우에서 시작하여 목 밑에 흉골병부터 흉골체까지 이어져 있다. 갈비뼈 첫 번째부터 일곱 번째는 연골을 통해 가슴뼈에 붙어 있고, 여덟 번째부터 열 번째 갈비뼈는 일곱 번째 갈비뼈의 연골과 이어져 가슴뼈에 부착되어 있다. 하지만 열 한 번째, 열 두 번째 갈비뼈는 floating rib이라고 하여 앞쪽 어디에도 연결되지 않고 떠 있는 상태이다. 그렇기 때문에 12번 갈비뼈에 붙어있는 요방형근을 찾아서 누르게 되면 날카롭고, 불안하게 느껴지는 것이다. 게다가 등뼈 11, 12번 위치 바로 앞에는 몸의 노폐물을 걸러주는 가장 완벽한 필터이며, 호르몬 생산과 활성화, 생체 항상성 유지 기능을 담당하는 신장이 있다. 강낭콩 모양이라고 해서 콩팥으로 불리는데, 몸의 가장 뒤에 위치해 있는데 등뼈 바로 앞에 있다.

　　두 가지 불안한 요소를 지닌 위치에 있기 때문에 요방형근의 자리를 찾거나 마사지하는 것은 전문가가 아니면 가급적 하지 않는 것이 좋다. 잘못 눌렀을 때 갈비뼈에 압박골절이 일어나는 일이 꽤 많기 때문이다. 또한 근육을 찾아서 뒤에서 앞으로 눌렀을 때 느끼는 통증과 옆에서 눌렀을 때, 대각선으로 근육 밑쪽을 찾아서 눌렀을 때 통증의

지실혈(志室穴). 몸의 정기가 머무는 곳이며 요방형근을 마사지할 수 있는 혈자리이다

느낌과 불편함이 각기 다르다. 이에 맞는 근육교정이 필요하기 때문에 요방형근은 신중히 접근해야 하는 근육 중 하나다.

요방형근을 마사지 하는 혈자리로는 지실혈(志室穴)이 있다. 한의학에서는 지실혈이라는 곳이 우리 몸의 정기가 머무는 중요한 혈자리로 인식하고 있다. 이 혈자리는 12번 갈비뼈가 끝나는 지점, 척추 정 가운데서 3치(손가락 네 개 넓이)만큼의 위치에 있다. 간단하게 찾는 방법은 뒤에서 양손으로 허리를 잡는다고 생각하고 엄지로 허리를 잡고 네 손가락으로 갈비뼈를 둘러싸면서 잡으면 바로 지실혈이 잡힌다. 이 지점은 혼자 눌러도 상당히 많은 도움을 받을 수 있는 곳이다. 허리 통증과 피로감을 줄일 수 있고 지실혈을 자주 눌러주게 되면 옆구리살과 똥배가 줄어드는 미용 효과도 누릴 수 있다.

요방형근을 압박하는 대표적으로 안 좋은 자세는 생각보다 일상생활에서 빈번하게 취하는 동작이다.

- 다리를 꼬거나, 짝다리를 짚거나, 벽에 기대어 서는 자세로 한 쪽 골반이 기울어져 한 쪽으로만 하중을 받게 되는 자세는 좋지 않은 자세이지만 무의식 중에 자주 하게 되는 것이다.

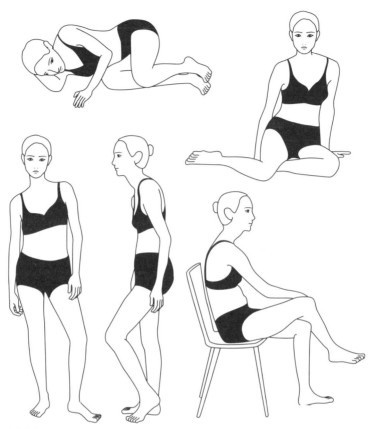

일상에서 빈번하게 취하게 되는 요방형근을 압박하는 안 좋은 자세들이다

- 치마를 입고 바닥에 앉을때 한쪽 방향으로 다리를 구부리거나, 턱을 괴고 앉는 자세처럼 몸을 한쪽 방향으로 구부리는 동작들도 포함된다.
- 한 쪽 방향으로만 휘두르거나 던지는 야구, 골프, 볼링처럼 편타성 운동을 자주 하거나, 미용사와 같이 한 쪽 손만 사용하는 특정 직업군도 안 좋은 자세를 지속적으로 취하게 된다.

- 무거운 물건을 들어 올릴 때, 다른 근육이 부실한 사람들이 잘못 사용하게 되기도 한다.

요방형근을 스스로 관리하는 것은 도구만 있다면 가볍게 할 수 있다. 마사지 볼이나 폼롤러를 땅바닥에 놓고 그 위에 옆으로 누워서 갈비뼈 제일 하단, 옆구리 부분을 대고 살짝 위아래로 굴리면서 눌러주면 된다. 몸을 위아래로 조금 움직이다 보면 아픈 곳을 찾을 수 있는데, 아픈 부분보다 위로 올라갈 때는 갈비뼈를 조심해야 한다.

허리 스트레칭

스트레칭 1

어렸을 때 했던 국민 체조의 옆구리 운동을 기억한다면 쉽게 할 수 있다. 기억하는 옆구리 운동은 어깨너비로 다리를 벌리고 서서 팔을 들어 옆으로 기울여 옆구리를 늘려주는 운동일 것이다. 여기서 소개하는 스트레칭은 기존 옆구리 운동하고 같지만 약간의 차이로 완전히 다른 효과를 낼 수 있다.

먼저 어깨너비보다 보폭을 조금 더 벌린 상태에서 약간 무릎을 구부린 기마 자세를 취한다. 기마 자세를 하고 옆구리 운동을 하되, 가장 중요한 포인트는 손바닥이 하늘을 향하게 하는 것이다.

국민체조를 하듯이 옆구리 운동을 하면 손바닥이 땅을 향하기 때문에 가동범위를 최대한 늘려야 효과를 볼 수 있는데 반해, 손바닥을 하늘로 향하게 되면 최대한 늘리지 않아도 옆구리가 좀 더 깊게 스트레치가 되는 장점이 있다. 아울러 기마자세를 함으로써 옆구리뿐만 아니라 날갯

허리 스트레칭1. 옆구리와 함께 날갯죽지 밑에서부터 상부 골반까지 이완할 수 있는 동작이다

죽지 밑에서부터 갈비뼈, 옆구리를 지나 상부 골반까지 전체적인 스트레칭이 된다. 여기서 앞으로 살짝 비틀어주는 동작을 추가로 하면 날갯죽지 뒤편도 스트레치할 수 있다.

스트레칭 2

골반과 허벅지를 같이 늘려주면서 요방형근을 스트레치하는 방법이다. 옆으로 누운 상태에서 위쪽에 놓인 다리를 'ㄱ'자 모양으로 만든다. 아래

허리 스트레칭2. 골반과 허벅지를 같이 늘려주면서 요방형근을 이완할 수 있는 동작이다

쪽에 놓인 다리는 'ㄴ'자를 만든 후 반대쪽 손으로 천천히 발등을 잡고 위로 당겨준다. 위쪽 다리가 오른쪽이라면 오른손으로 왼쪽 발목을 잡고 엉덩이 방향으로 당긴다. 반대쪽도 같은 방법으로 시행해 준다.

이 스트레칭은 허벅지 앞쪽과 뒤쪽에 강한 자극이 들어가면서 요방형근까지 이어서 자극이 된다. 강하게 잡아당길수록 햄스트링과 대퇴사두근, 대둔근까지 자극할 수 있다. 결국 허벅지 안쪽과 바깥쪽 근육의 긴장이 풀리게 되고, 허리의 통증이 감소하는 것을 느낄 수 있다. 또한 허리의 만성 통증으로 인해 오래 앉아 있다가 일어나기 힘든 묵직한 통증이 가라앉는 경험을 할 수 있다.

스트레칭 3

허리 스트레칭의 마지막, 요방형근 관리를 위한 스트레칭은 멕켄지 운동으로 알려진 일명 코브라 자세. 앞서 척추뒤굽음증 스트레칭에서도 소개했던 동작인데 이 동작에 대해서는 조금 더 자세히 살펴보도록 하자.

멕켄지 운동 바로 알기

코브라 자세는 멕켄지가 개발한 운동으로 여러 서적에 운동하는 자세나 방법에 대해서 많이 소개되어 있다. 하지만 정작 해야 될 사람과 해서는 안 될 사람에 대한 주의 사항이 없이 무분별하게 널리 행해지는 것을 보며 안타깝게 생각하는 부분이다.

1956년, 뉴질랜드의 물리치료사였던 Robin McKenzie는 급성 요통과 다리 통증을 호소하는 Mr. Smith라는 환자를 3주 동안 치료

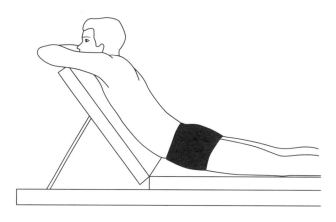

상부가 올려진 테이블에 실수로 엎드려있던 환자의 통증이 감소하며 멕켄지 운동을 발견하게 된다

하였다. Mr. Smith는 치료를 위해 다시 병원을 방문했고, 검사실로 안내되어 멕켄지를 기다리는 동안 테이블에 엎드려 있으라는 지시를 받았다. 하필 검사실의 테이블은 무릎에 문제가 있던 환자가 무릎 치료를 받을 수 있도록 테이블의 상부 부분을 위로 올려놓은 상태였다. Mr. Smith는 지시에 따라 멕켄지를 기다리기 위해 테이블에 엎드렸다. 허리가 과신전이 된 상태로 10분 동안 엎드려 기다린 것이다. 멕켄지는 Mr. Smith의 자세를 보고 놀랄 수밖에 없었다. 이 자세는 그동안 요통 환자에게 피해야 할 자세로 알고 있었기 때문이다. 걱정하며 기분이 어떠냐고 묻자, "다리 통증이 완전히 사라졌고, 약간의 요통만 느껴진다. 지난 3주 동안 느낀 것 중 최고다"라고 말했다. 멕켄지는 당황했지만 흥미롭게 생각하고 "좋은 동작인 것 같습니다. 오늘은 여기까지만 하겠습니다. 내일 다시 시도해 보겠습니다."라고 답했다. 테이블에서 일어난 Mr. Smith는 더 이상 다리 통증을 느끼지 않았고, 다음 날까지 그는 다리 통증이 없어졌고, 약간의 허리 통증만 남아 있었다고 한다. 멕

켄지 운동을 발견하게 된 히스토리인데 어처구니 없게도 실수를 통해 우연히 발견하게 되었다는 것이다. 이 운동은 급성으로 허리 통증이 오는 사람들에게 좋은 동작임은 확실하다. 요가를 할 때나 그 외의 허리 스트레칭을 할 때 빠지지 않고 등장하는 동작이기도 하며 많은 사람들이 허리 통증과 다리 통증이 가라앉는 경험을 하기도 한다.

맥켄지 동작을 좀 더 자세히 뜯어보자.

1단계. 편안하게 엎드린 상태에서 배를 바닥에 붙이고, 최대한 길고 깊게 호흡한다. 척추를 이완시키는 것이 목적이므로, 허리에 힘이 들어가거나 다리에 통증이 느껴지면 배 밑에 쿠션을 대서 허리의 압박을 풀어주는 것이 좋다.

2단계. 팔꿈치를 바닥에 대고 상체를 지지하면서 통증이 없는 정도까지 몸을 세워 정면을 바라보며 천천히 호흡한다. 이때 엉덩이 부분에 힘이 들어가지 않게 해야 하며, 숨을 깊게 천천히 내뱉는 것이 중요하다. 이 자세가 안정된다면 버티는 시간을 점차 늘리고, 다음 단계로 넘어간다.

3단계. 2단계에서도 통증이 없다면 양팔을 완전히 펴고 몸을 세워준다. 팔을 완전히 펴서 상체를 들어 올리는 동작 중에 허리에 힘을 빼고 팔의 힘으로만 허리를 세우는 것이 중요하다. 마지막으로 호흡이 안정돼야 하고, 절대 무리해서 동작을 진행할 필요 없다.

4단계. 종아리 부분을 들어, 발뒤꿈치를 엉덩이에 닿을 수 있을 정도로 접게 되면, 그 운동 효과가 배가된다. 이는 장요근까지 같이 스트레치가 되기 때문이다. 발뒤꿈치가 엉덩이에 닿을 수 있도록 하는 것은 주위에서 도움을 줘야 한다. 허리가 아파서 멕켄지 운동을 하는 사람들 대부분은 엉덩이, 허벅지 근육의 긴장도가 높아져 있기에 혼자서는 거의 불가능하기 때문이다. 주변에서 도와줄 때는 가동 범위에 닿게 되면 잠시 쉬었다가, 다시 하고를 반복해야 한다. 급하게 하게 되면 반드시 다치게 된다. 또한, 좁혀지는 각도는 아주 천천히 조심스럽게 갓난아기 다루듯이 해야 다치지 않는다. 이때 엉치나 허리 아픈 곳에 손을 대서 확인해보면 근육의 긴장도가 풀리는 것을 느낄 수 있고, 통증이 어떠냐고 물어보게 되면 통증이 가라앉았다는 피드백을 들을 수 있다.

반드시 이 운동을 해야 하는 사람들은 평소 일자 허리인 사람들 척추뒤굽음증(kyphosis, 척추후만증)이 있는 사람들이다. 즉, 허리를 숙이고 공부를 많이 하는 학생이나 허리를 숙이고 살았던 많은 사람들에게 필요하다. 옛날에는 여성의 가슴이 큰 것을 정숙하지 않다고 생각하는 경향이 있어서인지 가슴을 감추려고 어깨를 웅크리고, 최대한 드러내지 않으려고 노력했던 분들이 많다. 그렇기 때문에 할머니늘은 등이 굽고, 어깨가 좁아져서 항상 가슴이 답답하고, 등, 허리 통증을 안고 사는 분들이 많다. 이렇게 등과 허리 라인 전체가 말려있는 사람들에게는 꼭 해야만 하는 운동이다. 허리가 안으로 들어갈 수 있게 잡아주는 기립근과 주변 근육이 강화될 수 있고, 가슴을 열어주기 때문이다.

그런데 요통 치료에 교과서적인 이 동작을 절대 하면 안 되는 사람들도 있다. 바로 척추앞굽음증(lordosis, 척추전만증)이 있는 사람들이다. 이들의 특징은 허리가 앞으로 깊게 들어가 있고 엉덩이와 등이 뒤로 많이 나와 있는 체형이다. 높은 하이힐을 신은 사람들이 보통 이런 체형인 경우가 많은데, 절대로 하면 안 된다.

10년 전쯤, 무대 디자인을 하는 직업을 가진 30대의 남자 친구에게 일자 허리를 안정되게 하고 허리 통증을 줄이기 위한 방법으로 멕켄지 운동을 가르쳐줬었다. 이 운동을 해 보고 본인이 너무 좋아서 같은 직장 동기 여성에게 이 동작을 소개했다. 동료는 허리 통증을 가라앉힐 수 있다는 말에 그날 저녁 정말 열심히 동작을 따라했다. 그리고 다음 날 이른 아침 구급차에 실려가게 되었다. 그 이유는 허리가 안으로 말려 들어간 사람이 허리를 더 안으로 말아주는 운동을 했으니 주변 근육과 디스크에 압박이 더 심해졌던 것이다. 남들이 해서 좋다고 맹목적으로 따라 하면 오히려 더 다치게 된다는 것을 꼭 명심하자.

사람 몸은 생각보다 간단하다. 나와야 하는 곳을 정상적으로 나오게 하고, 들어가야 하는 곳을 정상적으로 들어가게 하고, 왼쪽과 오른쪽 대칭만 잘 잡아주면 거의 모든 문제는 해결이 된다.

허리 불편함의 끝판왕, 장요근

신경의 뿌리는 어디에 근간을 두고 있을까? 신경은 두개골이 감싸고 있는 뇌에서부터 시작되어 온몸으로 뻗어 나가게 된다. 뇌는 우리 몸의 모든 신호 체계를 전달받아 각각의 필요한 곳으로 필요한 정보를 전달하는 기능을 한다. 신경은 가느다란 세포들이 이어져 구성되어 있는데, 길이가 1미터 넘는 것도 있다. 전기 신호를 뇌로 주고 받는데 핵심 신경은 지방으로 둘러싸여 있어서 전기 신호에 혼선이 생기지 않게 된다. 또한 신체 내 빼곡한 촉각 기관에서 우리 몸에 통증을 감지하면 그 즉시 통증을 피하라는 명령을 전달할 때도, 배가 고프다는 신호가 와서 뭔가 먹을 것을 찾아 헤매이고 너무 많이 먹어서 "목까지 찼다"라는 말을 하며 실제로 위장이 음식물로 가득 채워진 상태에서 내가 좋아하는 음식을 보고 빠른 시간 안에 위를 강하게 자극하여 공간을 만들어낼 때에도, 이 모든 것들이 신경 체계로 전달된 전기 자극으로 이루어지는 것이다.

스트레스 상황은 어떨까? 위험으로부터 피해야 하거나 극한의 상황에서 도망쳐야 하는 순간에도 전기 자극을 이동시켜주는 중추적인 사인이 신경의 역할이다. 우리 몸의 신경은 전깃줄의 역할을 한다. 건축물에서 전기를 이동시켜주는 전깃줄이 없다면, 그 안에서 아무것도 할 수 없어 아무도 찾지 않는 빈 공간으로 남겨질 것이다. 하지만 건축물에 전기가 공급되면, 사람이 생활할 수 있는 기반이 마련되는 것이다. 마찬가지로 신경은 전기 자극을 통해 모든 사인이 소통할 수 있도록 도와주는 메신저의 역할을 한다. 이런 신경은 뇌에서부터 출발해서 척주 각 마디마디로 분출되어 각 마디에서 나오는 명령 줄기를 따라가게 된다. 가장 많은 신경 줄기들이 분포되어 있는 곳이 등 쪽이고, 몸의 앞 쪽인 배에는 그에 비해 아주 적게 분포한다. 이렇게 신경 분포가 떨어지는 배는 등에 비해 느낄 수 있는 감각도 예민하지 않다. 그래서 배가 아파 병원에 가면 큰 병이 발견되는 경우가 상당히 많은 이유이기도 하다.

골반이 틀어지면서 이상근과 등 쪽에 붙은 요방형근 등 몇 가지 근육들이 문제를 일으켜 몸이 불편해지고 아픈 경우처럼, 허리가 아플 때 등 쪽에서 통증을 잡을 수 있는 경우는 고작 10~20%에 불과하다.

허리가 아픈데 허리에서 통증을 잡아내지 못 하면 어디에서 허리 통증을 없앤다는 걸까? 허리 통증을 잡으려면 제일 중요한 부분은 어디일까? 그 곳은 바로 장골근과 대요근을 합쳐 장요근(iliopsoas muscle, 腸腰筋)이라고 부르는 곳이다. 배꼽 좌우로 흉추 12번에서 시작해서 골반 고관절을 지나 대퇴골두까지 부착된 근육이다. 이 근육은 허리의 통증을 일으키는 허리 통증의 끝판왕이다.

사람이 일어설 때 허리와 엉덩이 힘이 부족하면 배에 힘을 써서 일어나게 된다. 배의 힘으로 상체를 지탱하는 것이다. 이때 제일 많이 힘이 들어가고 활용하게 되는 근육이 장요근이다. 이 근육의 긴장도가 높아지면 배에서 느껴지는 통증보다는 허리에서 느껴지는 통증이 더 커진다. 또한 골반에서 '뚝', '뚝' 거리는 소리가 들리기도 한다. 이 소리가 날 때 잘 관찰해 보면 특정한 각도에서 소리가 들리는 것을 알 수 있다. 이 장요근을 마사지할 때 허리 깊은 곳에서 전기가 오는 느낌이 들거나 아프던 허리 쪽으로 묵직하게 통증이 뻗어가는 느낌을 받을 수 있다. 게다가 장요근은 단순히 허리의 통증만 일으키는 게 아니라 가동범위를 제한한다. 그래서 이 근육은 지속적인 스트레칭과 관리가 필요하지만, 실질적으로 우리는 이 근육의 존재조차 제대로 알지 못하니 어떻게 관리해야 하는지 그 방법을 알기 어려운 것이다.

정확하게 이 근육을 스트레칭 할 수 있는 방법은 많지 않다. 다만 장 마사지를 통해서 이 근육의 긴장도를 풀어 줄 수는 있다. 장 마사지를 지속적으로 하게 되면 허리 통증도 가벼워지는 느낌을 받을 수 있다. 장요근의 근육이 불규칙하게 단축되면서 허리 위치가 비틀리게 되면 복근 팩의 위치에 변형이 오게 된다. 이런 경우에도 장 마사지를 통해서 장요근의 긴장도를 바로 잡으면 허리의 위치가 바로잡히게 되는 것이다.

　　장요근으로 부터 시작되는 또 다른 통증은 아랫배 쪽에서 느껴지는 경우이다. 대부분 생리통이 시작될 때 느껴지지만 어떤 경우에는 생리통과 상관없이 아랫배가 아프다고 느끼는 분들도 있다. 그렇게 되면 산부인과에 가서 자궁 검사를 하게 되는데, 상당수는 물혹이나 근종을 갖고 있는 경우가 많고 그로 인해 통증이 온다고 진단결과가 나와 약을 먹거나 자궁을 적출하는 사례들을 종종 볼 수 있다. 하지만 장요근 쪽을 마사지하게 되면 자궁을 적출했음에도 불구하고 같은 통증을 느끼는 경우가 대부분이다. 다시 말해, 아랫배 쪽의 통증은 장요근에서 느껴지는 불편함일 확률이 높은 것이다.

　　장요근의 통증을 잡기 위해 활용하기 좋은 혈자리로는 복결혈이 있다. 복결혈(腹結穴)은 장요근과 마찬가지로 배꼽 좌우에 있다. 배꼽을 중심으로 3치(손가락 네 개) 옆으로 이동 후 다시 아래로 1치 3푼(엄지손가락 1.3개, 약 2.5cm) 내려간 위치이다. 이 혈자리를 꾸준히 누르게 되면 장요근에 압박이 생기므로 허리와 사타구니 쪽으로 통증이 퍼지는 느낌이 들기도 한다. 아울러 위에서 아래로, 바깥쪽에서 대각선 안쪽으로 밀어서 마사지해 주면 통증의 방향이 다양하게 느껴지는데, 천

복결혈(腹結穴). 장요근 마사지에 효과적인 위치이며 가스가 차거나 설사할 때도 좋은 혈자리이다

천히 불편함이 가라앉을 때까지 눌러주는 것이 좋다. 마사지하는 동안 장이 터지지 않을까 할 정도로 불편한 통증이 동반되지만 약을 먹는 것보다 안전하고 빠른 효과를 경험할 수 있다. 한의학에서는 위장 관련 질환을 치료하는 혈자리로 알려져 있으며, 변비, 옆구리 통증을 해결하는 위치로 많이 쓰인다. 배에 가스가 차서 움직일 때마다 계속 꿀렁거리는 소리가 난다든지, 설사가 자주 나고 배가 아플 때 즉각적인 효과를 볼 수 있는 자리이기도 하다.

10여 년 전 태백으로 봉사활동을 나간 적이 있다. 태백의 산골 교회에 성도 10여 명 내외의 인원이 모이는 곳인데, 서울에서 봉사 활동하러 사람들이 왔다는 소문으로 오랜만에 산골 마을에 흥이 넘쳤다. 첫째 날 봉사활동을 마무리할 때쯤 여성분이 심하게 다리를 절면서 들어왔다. 한 눈에 봐도 다리 길이가 15센티 정도 차이가 있어 보였는데, 근육교정으로는 체형의 밸런스를 맞추는 게 불가능하다고 설명하던 중 목사님과 여성분이 같은 말을 했다. 정상으로 태어났는데, 귀신이 들려서 산으로 들로 돌아다니다가 정신을 차려보니 아빠 모르는 아이들을 키우게 됐고, 지금은 하루 벌어서 하루 먹고 살고 있는데, 너무 아프다는 이야기였다. 병원에서는 수술을 해야 하는데 수술비만 2천만 원이 넘는다는 안타까운 사정을 듣고 나니 마음이 복잡해졌다. 안 될 확률이 높지만 되든 안 되든 손해 볼 게 없다는 생각이 든다고 시도해 달라고 해서, 장요근을 강제로 스트레치 시켰다. 놀랍게도 5분 만에 다리 길이는 정상 범위로 돌아왔고, 허리 통증과 골반의 통증이 가라앉는 느낌이 든다고 했다. 다행히도 다음 날도, 그 다음 날도 다리를 저는 것이 누가 봐도 줄어들게 되었고, 본인이 느끼는 통증도 가벼워졌음을 이야기했다. 장요근이 제대로 이완되면 차이가 나던 다리 길이가 정상 범위로 맞춰지는 효과를 볼 수 있다.

앉은 자리에서 이렇게 놀라운 일을 경험하고 나면 강력한 인상으로 인해 단순히 다리 길이만 맞추는 것을 근육교정이라고 생각하게 될 수도 있다. 근육교정은 눈에 보이는 다리 길이 조정은 과정일 뿐이며, 한 눈에 보이지 않는 몸 전체의 안정적인 패턴을 되찾는 것이다. 하지만 근육교정의 결과물을 유지하는 것은 오로지 본인의 몫으로 노력할 때에만 가능하다.

장요근 스트레칭

스트레칭 1

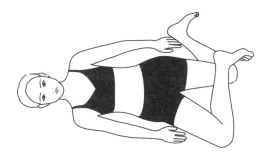

장요근 스트레칭1. 골반, 장요근, 햄스트링을 한 번에 이완할 수 있는 동작이다

앞에서 소개한 골반 스트레칭 2번과 동일하다. 장요근과 햄스트링을 스트레치하는데 효과적이다.

스트레칭 2

장요근 스트레칭으로 가장 많이 하는 로우 런지라는 것이다.

장요근 스트레칭2. 정강이를 바닥에 대고 있는 다리의 골반 앞쪽을 이완시키는 동작이다

양쪽 무릎을 꿇고 앉은 자세에서 시작한다. 한쪽 무릎을 들어 'ㄱ'자로 앞으로 뻗어 구부려 준다. 이때 몸은 그에 맞춰서 유동적으로 움직이되 반대쪽 다리 정강이 부분은 바닥에 대고 있어야 한다.

앞쪽 무릎을 굽혀 몸을 앞쪽을 밀어주면서 중심을 잃지 않도록 무게중심을 잘 잡아 준다. 약 20~30초가량 유지하면서 반대쪽도 동일하게 한다. 이 스트레칭은 정강이를 바닥에 대고 있는 다리의 골반 앞쪽이 늘어나는 느낌이 들어야 제대로 스트레치 되는 것이다.

장요근의 세트 상품, 단전

허리의 문제를 해결하는 데 있어서 장요근과 세트로 문제를 일으키는 곳이 있다. 1+1은 돈을 떠나서 덤의 느낌이 있다. 하지만 문제를 일으키는데 1+1이라면 돈을 더 주고서라도 받고 싶지 않을 것이다. 장요근의

관원혈(關元穴). 흔히 단전이라고 부르는 곳으로 혈액순환에 도움이 되는 혈자리이다

세트 상품, 형제, 영원한 동반자로 허리의 불편함을 같이 일으키는 곳은 어디일까? 그곳은 한의학 사전에서 "배꼽 아래 한 치 다섯 푼 되는 곳으로 여기에 힘을 주면 건강과 용기를 얻는다"고 설명하는 관원혈(關元穴)이다. 이 혈자리는 흔히 단전(丹田)이라고 하는 곳인데, 단전은 한의학에서 사용하는 정식 혈자리 명칭은 아니다. 한의학에서 단전의 위치는 배꼽 아래로 자신의 손가락 세 마디 거리라고 표기한다. 사람마다 인체의 비율이 다르기 때문에 자신의 손가락으로 재는 것이 가장 정확하다.

그렇다면 단전에 뭐가 있길래 허리 아픈 것과 연관이 있을까? 해부학적으로 보면 심장에서 나온 굵은 혈관 두 개가 단전쯤에서 분지하여 좌우로 나뉘게 된다. 다리 쪽으로 뻗어가는 혈관들이 좌우로 나누어져 있기 때문에 단전 부분을 눌러주게 되면 혈액순환이 빨라지게 된다. 우리 몸을 돌고 있는 혈액은 순환이 원활하게 되어야 필요한 곳에 산소와 영양을 쉽게 공급할 수 있다. 아울러 노폐물도 걸러서 몸 밖으로 내보내는 역할을 하게 된다.

한의학은 12가지 길을 논하는 학문이다. 십이경맥이 순행하는 순서는 수태음폐경(手太陰肺經) → 수양명대장경(手陽明大腸經) → 족양명위경(足陽明胃經) → 족태음비경(足太陰脾經) → 수소음심경(手少陰心經) → 수태양소장경(手太陽小腸經) → 족태양방광경(足太陽膀胱經) → 족소음신경(足少陰腎經) → 수궐음심포경(手厥陰心包經) → 수소양삼초경(手少陽三焦經) → 족소양담경(足少陽膽經) → 족궐음간경(足厥陰肝經)이다. 쉽게 위에 나열한 12가지 길로 맥이 잘 순환하는 것을 건강하게 여긴다고 생각하면 된다. 이 외에 몸의 정중앙을 지나는 독맥(督脈)과 임맥(任脈)이 존재하는데 뒤쪽을 독맥, 앞쪽을 임맥이라고 부른다.

이런 혈자리 이름과 위치를 일반인은 알려고 하지도 않겠지만, 알 필요도 없다. 많은 시간을 투자해서 공부해야할 텐데, 한의대 졸업해서 사람을 고치는 데 내 인생을 써야겠다는 사명감이 있는 게 아니라면 핵심만 알면 된다. 몸의 앞쪽에서 정중앙을 지나가는 임맥은 몸 전체의 흐름에 많은 영향을 미치게 된다. 이 안에 단전(관원혈, 關元穴)도 포함이 돼 있는 것이다. 이 임맥이 막히게 되면 네 가지 문제가 발생하게 된다.

첫째, 소화 기능이 떨어지게 된다. 정 가운데는 위장, 소장, 대장 등 소화 기관들을 다 걸쳐서 지나는 길이다.

둘째, 다리가 붓고 저리는 증상이 발생한다. 심장에서 내려오는 굵은 혈관 두 개가 단전쯤에서 분지하여 좌우로 나뉘어 다리로 향하는데, 내려갔다가 올라오는 속도가 늦어져서 정체되면 다리에 혈액순환에 문제가 발생한다.

셋째, 허리에 통증이 나타난다. 임맥에 포함된 단전은 장요근 근처에 위치하기 때문에 장요근이 당겨지게 되면, 단전 부분의 복근도 같이 긴장도가 높아져 허리의 통증을 일으킨다.

넷째, 부인과 질환들이 생길 수 있다. 생리통, 생리불순, 냉, 자궁암, 자궁 근종, 물혹 등 여성 생식기 질환에 가장 영향을 주는 부위이다. 남성의 경우 임맥의 길에 긴장도가 높아져 흐름이 약해질 경우, 성욕감퇴나 발기부전, 전립선에 많은 영향을 주게 된다.

사람 몸 앞쪽 정 가운데를 지나는 임맥이 막혔을 때 생기는 이런 문제를 해결하는 방법은 무엇일까? 우선은 단전을 스트레칭하는 것이다. 앞에서 소개했던 멕켄지 운동 즉, 코브라 자세로 가장 완벽하게 스트레칭할 수 있다. 하지만 이 스트레칭만 계속할 경우 허리가 안으로 말려 들어가 요추부 전만증이 생길 수 있으므로 일정 시간이 지나서 허리 모양이 안정되면 이 운동은 더 이상 하면 안 되는 것이다. 비슷한 동작으로 양쪽 골반에 손을 대고, 서서 허리를 뒤로 제치는 운동도 마찬가지이다. 허리를 뒤로 저치는 모든 운동은 일정 시간이 지나면 안정된 상태를 유지하기 위해서 안 하는 게 좋다.

본격적으로 장요근과 단전을 풀어내는 방법을 알아보기로 하자. 제일 좋은 방법은 마사지이다. 지압봉이나 마사지 기구를 이용하면 좋겠지만, 뭘 사야 할지 어떤 게 효율적인지 모르겠다면 네임펜이나 유성 매직을 준비하자. 개인적으로는 유성 매직의 두께가 적당했다. 잡았을 때 두께감이 있어 안정적이고, 끝부분이 넓어 눌렀을 때 통증이 즉각적으로 깊게 오지 않아서 마사지할 때 좋은 느낌을 준다. 매직을 주먹 쥐듯이 잡고 누워 있는 상태에서 수직으로 눌러서 압력을 가해주자. 그 끝이 플라스틱이라 맨살에 하면 아프기 때문에 옷 위에서 눌러주는 것이 좋다. 누르다 보면 어느 지점인가에서 무척이나 날카롭고, 찌르는 듯한 통증이 느껴지는 곳을 찾을 수 있다. 그 부분을 낮은 압력으로 지굿이 꾸준하게 눌러주자. "손가락 하나로 12미터의 배를 꾸준한 힘으로 밀었을 때, 힘이 전체에 닿으면 배를 움직일 수 있다"고 한다. 그렇게 꾸준한 힘으로 누르다 보면 그 부분의 통증이 천천히 가라앉는 느낌이 들기 시작할 것이다. 너무 많은 시간을 한 번에 할 필요는 없다. 조금씩 끊어서 며칠에 나눠 한다고 생각하면 힘도 덜 들고 꾸준히 내 몸을 관리 할 수 있게 될 것이다.

　　한국 사람들 특징이 뭐든 빨리 끝내려고 하는 경향이 있다. 작심삼일이라는 말이 괜히 나온 것은 아닐 것이다. 운동도 3일 온 맘과 정성을 다해서 하고서는 4일째부터 포기하거나, 무슨 일이 생겨 못하게 되면 그 핑계로 그만두게 되는 일이 반복된다. 열심히 하는 것은 좋으나, 당장의 열심을 조금 줄이고 '꾸준하게'로 바꿔보자. 중간에 한 번 못했더라도 좌절하지 말고 또 다시 하면 된다. 분명히 좋은 성과가 있을 것이다.

심부조직 마사지

마사지 방법은 여러 가지 테크닉이 있지만 직업으로 할 게 아니므로 가장 간단하고 최상의 효과를 줄 수 있는 방법에 대해 알아보자.

　　마사지의 핵심 테크닉인 심부 조직 마사지(deep tissue massage)가 그것이다. 심부 조직 마사지는 스포츠, 생활 자세나 습관에서 오는 부상과 근골격계 긴장을 이완하는데 주로 사용되는 마사지 테크닉 중 하나이다. 근육과 결합 조직의 안쪽 층을 표적으로 하기 위해서 느리고 깊은 압을 사용하여 지속적인 압력을 가하는 것을 의미하며, 혈류를 증가시키고 염증을 감소시켜서 더 빠른 자가 치유력을 증폭시킨다. 다른 마사지 방법들 중에는 비비고, 누르고, 꼬집고, 때리고, 늘리는 등의 방법들이 있지만 이와는 다르게 접근한다. 이름에 모든 의미가 다 들어 있듯이 심부 조직, 가장 깊이에 있는 조직을 마사지하는 게 포인트이다. 근육의 상태가 노폐물이 껴있고, 딱딱하고, 차가우면 사람은 당연히 불편함과 통증을 느끼게 된다. 심부 조직 마사지는 근육의 딱딱한 부분을 꾸준히 누르고 있으므로써 그 부분에 정체된 피를 밀어서 내보내고 새로운 피가 공급될 수 있게 하는 테크닉이다. 다시 말해 근육에 끼어있는 노폐물을 깨끗하게 하고, 딱딱한 조직 상태를 부드럽게 이완시키며, 차갑던 것을 따뜻한 상태로 전환시켜주는 가장 빠른 그리고 오래 유지하는 방법이다.

스펀지가 물을 먹으면 무겁고 빵빵해지지만, 스펀지를 쥐어짜서 물을 빼내게 되면 스펀지는 다시 가벼워지고 원래의 부드럽고 폭신한 상태로 돌아오게 되는 것을 상상하면 쉽게 이해가 될 것이다. 이는 이완에만 중점을 둔 마사지 기술과는 다르다. 근육이 정체되면 그 부분에 순환이 되지 않아서 불편함을 일으키는데, 피가 빠져나가고 새로운 피가 공급되어 불편함이 감소하고, 건강이 회복되는 개념인 것이다.

하지만 심부 조직 마사지에는 장점만 있는 것이 아니다. 치명적인 단점이 존재한다. 깊은 조직을 찾고, 근육을 정비해야 하는 과정이기 때문에 이 테크닉을 시행하고 있는 동안에 오히려 더 아프다는 느낌을 받게 된다는 것이다. 일반적으로 마사지 샵에서는 피로회복을 위해 부드러운 동작으로 이완을 시켜주고, 아픈 근육을 집중적으로 풀어주어 당장 아프지 않도록 만들어 주는 것에 목적이 있다. 이런 마사지에 익숙해진 사람들은 첫 번째 근육교정에서는 아무것도 모르고 시작했지만, 두 번째 할 때는 멍든데 다시 누르는 고통을 느끼고, 세 번째가 넘어가면 멍든 데 누르는 듯한 느낌은 없어지지만 좀 더 깊은 조직으로 들어가기 때문에 누르는 압에 의한 통증이 계속 된다. 하지만 이렇게 몇 회의 인내가 지나가면 거의 대부분의 불편함은 없어지고 몸의 자기 회복 능력이 높아지는 것을 스스로 느낄 수 있다.

심부 조직 마사지의 부작용은 거의 없다. 하지만 골다공증이나 뼈에 암이 있거나, 임신 중인 경우는 심부조직 마사지뿐만 아니라 모든 마사지를 안 하는 것을 권한다. 전신 마사지나 압이 들어가는 마사지는 내 몸 안에 있는 독소나 화학성분들의 순환을 증폭시키게 되기 때문이다. 강하지 않게 손이나 발을 마사지하는 정도는 원기 회복에 좋다.

장요근+단전 마사지

앞서 알아본 혈자리인 관원혈과 복결혈의 위치를 기억한다면 유성 매직만 준비하면 된다. 배꼽 아래 쪽으로 있는 빨간 포인트에 매직을 대고 위에서 아래로 수직 방향으로 지그시 누르게 되면 천천히 조직이 풀리는 것을 느낄 수 있다.

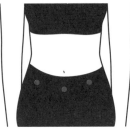

장요근+단전 마사지. 허리와 골반 아래로 내려가는 통증을 줄일 수 있다

빨간 포인트 중 가운데 단전 부분을 지그시 누르고 있을 때, 다리 쪽으로 피가 뿜어져 내려가면서 따뜻한 기운이 이동하는 느낌을 받을 수 있다. 그렇게 내려간 기운이 다리를 따뜻하게 만들고, 통증 또한 가라앉는 것을 느낄 수 있다. 이는 압박 받던 혈관과 근육에 혈액이 순환되는 느낌일 수도 있고, 혹은 짧은 순간 빠르게 도는 혈액으로 인해 다리가 저린 느낌일 수도 있다. 저린 느낌을 받았을 때라도 복근을 자극하면서 골반을 둘러싼 하지 신경들이 자극되어 짧은 시간 저리게 느껴지는 것일 뿐 손을 떼고 조금만 있으면 그런 느낌은 바로 없어지는 양상을 보인다.

좌우로 양쪽의 빨간 포인트는 등뼈 12번부터 대퇴골두로 이어져 있는 장요근의 자리인데, 마찬가지로 위에서 아래로 수직 방향으로 누르는 방법과 긴장된 근육을 찾아서 대각선으로 누르는 방법 마지막으로 옆에서 배꼽 방향으로 누르는 방법이 있는데 이 세 가지 방법을 해보았을 때 가장 긴장도가 잘 해결되는 방법을 찾아서 진행하면 된다. 이때 제일 불편한 위치를 찾는 게 핵심인데, 눌렀을 때 세 방향 중 가장 예리하게 느껴지고 강하게 찌르는 느낌이 있는 곳이 있다면 그 방향을 약한 힘으로 꾸준히 눌러주어 장요근의 압박을 풀어주어야 한다.

장요근과 단전의 압박이 풀리게 되면 허리의 통증이나 골반으로부터 허벅지를 타고 내려가는 저린 증상이 줄어드는 것을 느낄 수 있을 것이다.

허리의 불편함과 통증의 대부분은 장요근과 단전의 압박에서 오는 것인데 허리에서 해결하려고 하다 보면 시간과 노력에 비해 큰 소득이 없음을 느끼게 될 것이다.

40대 후반 중학교 수학 선생님을 소개받은 적이 있다. 뒤에서 박은 교통사고 때문에 병원에서 MRI 검사를 해도 이상이 없고, 물리 치료를 했는데도 허리가 너무 아파서 교단에 서는 것도 힘들고, 삶이 너무 고통스럽다고 했던 분이었다. 늦은 저녁쯤 통화를 하고 다음 날, "어제 다른 선생님 소개로 도수치료 하는 분을 소개받아서 거기에서 관리를 받을게요."라고 했다. 그래서 관리 잘 받으시고 빠른 회복 기원한다고 말씀드리고 전화를 끊었다. 어느 덧 5년이라는 시간이 흐르고 상담 통화 한번 해 달라는 지인의 소개로 전화를 드렸다. 머릿속엔 기억조차 없던 분인데, 전화번호가 저장되어 있었다. 기억을 더듬어보니 그분이었다. 분명 잘 관리 받는다고 했었는데 왜 또 다시 나에게 연락이 왔을까? 지난 5년 동안 월, 수, 금 일주일에 세 번씩, 단 한 번도 안 빠지고 관리를 받았다고 한다. 선생님들은 일반적으로 매사에 최선을 다하고 정말 열심히 하는 인내와 성실함의 본보기 같은 삶을 사신다. 이분도 그렇게 아픈 허리를 잡기 위해 5년이라는 시간과 돈을 썼다. 리딩을 해보니 아픈 허리는 긴장도가 전혀 없고, 근육이 모두 매끄럽게 이완돼 있었다. 이런 근육이라면 아플 곳이 없어야 하는데, 왜 계속 아플까?에 대해 계속 찾다보니, 등, 허리, 골반 쪽은 관리할 게 없이 아기처럼 좋은 근육 상태였지만 장요근과 단전 부분은 지난 5년 간 단 한 번도 관리되지 않았던 것이다.

허리가 불편한 선생님 입장에서는 허리 쪽은 건드리지도 않고, 배만 근육교정을 하고 있으니 의아했을 것이다. 게다가 긴장되어 있는 배 쪽만 누르고 있으니 얼마나 아팠을까? 그렇게 일주일에 한 번씩 3주가 지나고, 4주 차 만날 때는 인사가 너무도 경쾌했다. "무슨 좋은 일 있으세요?"라고 물어보니, 주변에서 "너 요즘 허리 아프단 얘기 안 한다!"라는 이야기를 들었다는 것이다. 그래서 생각해보니 허리가 예전 보단 안 아프다는 것이었다. 그렇게 5주 차까지 근육교정을 마치고, 관리하는 방법, 좋은 자세, 전체 운동을 복습하는 것을 끝으로 모든 스케줄을 마쳤다.

누가 잘하고 못 하고를 이야기하고자 하는 것이 아니다. 배 근육이 안정되어야 허리가 불편한 좌골신경통과 같은 통증이 가라앉을 수 있다는 것이다. 허리의 불편함을 허리에서 잡는 것은 전체 비율로 보면 10~20% 미만이고, 장요근과 단전 주변 근육만 잘 이완되면 허리 불편함의 80~90% 정도를 해결할 수 있다. 이는 몸의 전체적인 밸런스를 잡는데 속도를 낼 수 있으면서, 오랫동안 안정감을 느끼도록 하며 통증없이 좋은 허리 상태를 유지할 수 있도록 시간을 벌어준다. 정확한 리딩을 하고 근육교정이 되면 스스로 관리하며 돈과 시간 모두를 아낄 수 있다.

내 몸은 냉장고? 냉기 잡기

장요근과 단전 부위의 근육교정에 대해서 지금까지 알아보았다. 그런데 이런 배 쪽 근육들은 보통 차가워지면서 문제가 발생하는 경우가 대부분이다. 장요근과 단전 부분을 근육교정하는 과정 중 핵심은 바로 차가워진 근육을 따뜻하게 만드는 것이다. 문제를 일으키는 근육을 이완시키고 근막의 뭉친 부분을 풀어주면 어느샌가 배가 따뜻해지며 아픈 부위가 줄어들게 되는 것이다.

한 겨울 캠핑장에 가서 텐트를 치고 등유 난로를 켜고 따뜻하고 평화롭게 자연을 만끽하고 난 후 이제 자려고 누웠는데, 처음엔 공기가 따뜻하니까 그렇게 춥거나 힘들거라는 생각이 없었지만, 언제나 그렇듯 예상은 당연하다는 듯이 비껴나간다. 누워서 10분쯤 지나니 이제는 누워있지도 못 하겠다. 몸이 점점 차갑게 느껴지더니 이내 아파오기 시작한다. 불편함을 너머 이제는 몸이 딱딱하게 굳어지는 것을 느낀다. 생각해보니 바닥 매트 공사를 부실했던 것 같다. 술을 먹고 자는 친구는 바닥이 추운지 더운지도 모르고 잠이 들었는데 나는 너무 힘들어 끝내 잠을 자지 못하고 밤을 지새웠다. 아무리 따뜻한 이불을 덮어도 몸이 닿는 바닥에서 냉기가 올라오면 이불은 그리 큰 의미는 없다. 냉기라는 것은 체온을 급격히 떨어트리고, 근육 내 혈액 순환과 기의 흐름을 막는 역할을 한다. 옛날 어른들은 "바람든다"는 말을 많이 한다. 말 그대로 몸에서 찬 바람이 느껴질 정도의 춥고, 상대방이 손을 대면 그 찬 기운이 느껴질 정도로 한기가 나온다. 이 냉기는 결국 건강을 무너트리는 지대한 역할을 한다. 내 몸의 바닥 공사, 즉 냉기가 해결되면 건강이 업그레이드 될 수 있는 기틀을 마련할 수 있다.

　　그렇다면 술 먹고 잠든 친구는 어떻게 될까? 젊고 건강한 친구라면 며칠 불편하다 말겠지만, 한 번 냉기가 든 몸은 많은 고생을 해야만 한다. 근육을 따뜻하게 하는 국가대표는 엄마 손이다. 잠시 옛 기억을 되살려보자. 엄마가 어릴 때 "엄마 손은 약손~ 엄마 손이 약손~" 하면서 배에 오른 방향으로 원을 그리면서 만져줬던 기억이 있을 것이다. 어린아이들은 유독 잘 체한다. 보통 감기도 체기(滯氣)[5]에서 이어지고, 대부분 잔병치레도 체기에서 시작된다.

5　막힐 체, 기운 기를 써서 먹은 것이 잘 삭지 아니하여 생기는 가벼운 체증을 말한다.

아이들은 장기가 발달하는 과정 중 소화력이 성인보다 약해서 체하는 증상이 많이 나타난다. 체했을 때 성인들은 속이 더부룩하거나 두통, 울렁거림 등으로 나타나지만, 아이들은 기침을 하기도 하고 몸살처럼 열이 나기도 하는 등 증상이 다양하지만, 대부분은 체기이다. 체하거나 열이 있을 때, 기침이 심하면 제일 먼저 나타나 약손 처방을 하는 분이 있다. 바로 엄마다. 많이 배우고, 못 배우고, 돈이 있고 없고를 떠나서 이 세상의 모든 엄마는 약손을 지닌 의사다. 아이는 배가 아프다가, 기침이 심하다가 약손 처방으로 이내 사르르 통증이 가라앉아서 잠이 들곤 했던 어린 시절 기억은 누구나 있을 것이다.

정말 엄마 손은 약손일까? 어떻게 하면 아픈 게 가라앉을까? 사람은 정온동물이다. 외부의 환경과 관계없이 항상 일정한 체온을 유지하는 동물이다. 즉, 날씨가 추워진다고 미리 음식을 먹고, 지방으로 전환해서 체내에 지방을 비축해 두고, 그 에너지원을 이용해 추워진 기간 동안 겨울잠을 자지는 않는다. 간혹 추워진다고 많이 먹는 사람이 있지만, 겨울잠을 자려고 그러는 것은 아닐 것이다.

0~1세 사이의 영아는 보통 37.5~37.7℃ 사이를 유지한다. 유아기를 지나고 6세 이후부터는 죽을 때까지 36.5~37℃를 유지하는 게 평균 체온이다. 체온이 오르는 경우는 대부분 바이러스나 세균성 질환으로 체내에 염증이 생기며 열이 오른다. 몸이 아플 때 머리를 제외한 체내에서 손끝 발끝까지 골고루 열이 나는 것은 바람직한 일이다. 열이 난다는 것은 면역력이 잘 방어하고 있다는 증거이기 때문에 막연한 두려움으로 미리 해열제를 먹고, 열을 떨어트리려 옷을 벗기고 찬물로 닦는 것은 오히려 방어시스템에 급브레이크를 밟는 격이 되는 일일 수 있다. 몸의 열은 찜질방이나 사우나에 가서 땀을 빼는 것처럼 내 몸에 들

어온 이물질을 배출하기 위한 작용이기도 하다. 그래서 아이들이 열이 나다 땀이 쭉 나고나면 열도 내리고 기운을 차리는 경험을 해본 사람은 무슨 이야기인지 이해하기 더 쉬울 것이다.

다만 주의해야할 것은 머리의 열이 잘 빠져나가는지 지켜봐야 한다. 머리로 올라가는 피는 3가지 역할을 한다. 산소 공급, 영양 공급, 컴퓨터의 쿨러 역할이다. 컴퓨터의 쿨러가 고장이 나면 하드웨어에 온도가 올라가고, 소프트웨어에 에러가 발생하며 IT계열 전문용어로 "뻑난다"라고 하는 컴퓨터가 다운되는 증상까지 이어진다. 이는 머리의 온도가 올라가서 40도가 넘어가면 뇌에 문제가 생기는 것 때문이다. 뇌를 과열된 상태에서 그대로 방치하고, 5분마다 내부 온도가 0.5도씩 상승하게 된다고 가정했을 때, 10분 후 1도가 올라갔을 때 정신이 혼미한 상태가 되고, 20분 후 2도가 올라갔을 때 신체적 장애가 발생하게 된다. 최종적으로 50분 후 뇌 온도가 5도가 오르게 되면 사망에 이르게 된다. 그래서 머리에서 열이 빠져나갈 수 있도록 예로부터 이마에 물수건을 올려두었던 것이다. 이렇게 머리만 잘 보호한다면 자연스럽게 온도가 내려가길 기다리는 것이 가장 좋은 치료 방법이다. 열이 오르락 내리락 하지 않고 고열로 오랜 시간 지속되지 않는 이상, 몸에서 나는 열은 결국 내 몸을 치유하기 위해 불가피한 요소이므로 큰 걱정을 할 필요가 없다. 하지만 열이 나지 않고 몸이 차가워지는 것은 걱정을 해야할뿐만 아니라 개선해야 할 숙제이다.

어르신들 중에 몸에서 냉기(冷氣)가 나온다고 말씀하시는 걸 들은 적이 있을 것이다. 냉기는 몸에 흐르는 찬 기운을 의미한다. 氣라는 한자의 영어 표기는 energy이다. 냉기는 내 몸에 흐르는 에너지, 기운이 차갑다는 의미다. 사람 몸에서 냉기가 나오는 느낌은 마치 냉장고에 손을 넣으면 물건을 잡지 않아도 냉장고의 찬 기운을 느낄 수 있는데, 그 느낌이 사람 몸에서 뿜어져 나오는 것과 같다. 이런 사람들에게는 대부분 활기(活氣)가 느껴지지 않는다. 기는 있으나 차가운 기는 죽어가는 기운에 가까운 것이다.

사람 몸의 세포는 60조 개 정도로 추측한다. 이들 각 세포마다 영양과 산소 공급을 받고, 노폐물을 배출하는 역할을 해야 하는데, 몸이 차가워지면 그 활동이 둔해질 수밖에 없다. 체온이 1도가 떨어지면 기초대사량이 15%, 면역력은 30%가 떨어진다고 한다. 그렇기 때문에 몸이 차가워지면 골골대고, 감기에 한 번 걸리면 며칠이고 낫지 않는 상황에 놓이게 된다. 몸이 차가워진 상태가 지속되면 혈액순환 장애부터 시작해서 갖가지 병으로 이어지고 뇌졸중, 고혈압, 당뇨, 현대인의 공포의 대상 암까지 이르게 된다. 냉기는 몸 전체의 흐름에 있어서 정체되거나 막혔을 때, 그 흐름이 끊겼을 때 나타나는 에너지의 단절이다. 그래서 아픈 곳에 손을 대면 그 부분이 차갑게 느껴지는 것이다. 반대로 아픈 사람은 상대방의 손이 따뜻하게 느껴지고, 혹은 뜨겁게 느껴지게 된다.

아이가 아플 때, 엄마가 배에 원을 그리며 마사지를 해 주는 것은 하나의 기치료(氣治療)에 속하며, 이는 차가운 곳을 순환을 시켜주고, 장기와 세포에 활기를 넣어주는 조상들의 지혜라고 볼 수 있다. 사람들은 보통 냉기가 나올 때 무기력하고, 우울감이 있고, 온몸이 아프다는 표현을 자주 한다. 현대의학이 발달해서 쉽게 죽지도 못하는 시대를 살고 있는데, 이때 포기하면 생각보다 많은 시간을 고통 속에서 생존해야 한다. 살아있는 동안 활기있게 살아가고 싶은데, 어떻게 하면 몸이 따뜻해지도록 개선할 수 있을까? 일단 일어나서 움직여 보자. 냉기가 나오는 많은 사람들 중 대부분은 앉거나 눕는 걸 좋아한다. 몸이 아프고 힘들어서 그렇다고 말하지만, 앉거나 눕는 걸 좋아해서 아프고 힘든 경우가 대부분이다. 몸이 아프면 일단 일어나보자. 죽을 만큼 힘들다고 바로 죽지는 않는다. 일어났으면 걸어보고, 걷고 또 걷다 보면 근육도 생기고 버틸 힘도 생긴다.

당뇨병 환자들의 99%는 상반신보다 하반신이 약하다. 하반신이 약하면 모든 질병의 근원이 된다. 버틸 힘이 생겼으면 천천히 뛰어보자. 뛰면서 땀이 나기 시작하면 충분한 수분 보충도 필요하다. 우리 몸의 세포는 대부분 수분이다. 수분이 부족하면 세포내 손상이 생기고, 체내 흐름이 끊기는 악순환이 반복된다. 수분이 보충되면 피부와 근육에 탄력이 생기고, 전체 장기의 순환이 원활해진다. 대부분의 암 환자들은 물을 안 마신다. 물이 안 먹힌다고 하고, 물이 맛이 없다고 한다. 물은 맛으로 먹는 게 아니다. 살기 위해 마셔야 하고, 건강하기 위해 마셔야 한다. 운동하고 물을 마시면 대사 순환이 원활해지게 되고, 비로소 온도가 올라가기 시작한다. 체온이 높아지면 우리 몸의 효소 기능이 높아지면서 신진대사율이 같이 증가한다. 1°C만 올리면 우리 몸의 면역력이 5배나 높아진다. 가장 간단하게 건강해질 수 있는데 왜 약을 먹고, 주사를 맞고, 남이 나를 치료해 주길 기대하면서 기다리고 있을까? 남이 나를 위해 뭔가를 해 주길 기대하다 보면 남이 밥 수저도 들어주는 일이 속히 올 수 있다.

최근에 만났던 50대 여자선생님은 첫 리딩에서 근육이 너무 없고 몸의 기력이 많이 부족한 상태였다. 그래서 간단하게 밸런스를 잡는 근육교정만 한 상태로 해야하는 운동을 알려드리고 한달 후에 다시 뵙기로 하고 헤어졌다. 그런데 한 달을 채우지도 않은 2주 후 알려드린 운동을 매일 했고, 더불어 걷기도 열심히 했으니 이제 시작하고 싶다고 연락을 주셨다. 다시 만난 날 리딩을 해보니 근육도 좋아지고 몸의 기력도 일반인에는 좀 못미치지만 전체적으로 근육교정을 마무리하는 80% 정도의 컨디션을 가지고 계셨다. 이 선생님은 어느정도 밸런스가 맞춰진 상태에서 매일 알려드린 해부학적 자세로 1시간을 버티고 맨발로 산을 걸으셨다. 걷기 중에서도 맨발로 땅을 밟는 어싱(Earthing)은 인체가 지구와 접지하는 것을 말하는 용어이다. 땅은 시멘트, 야자매트, 인조잔디 등의 인공물로 덮인 곳 보다는 숲이나 해변의 젖은 흙을 밟는 것이 가장 큰 효과를 볼 수 있는데, 사람의 몸이 땅과 닿아 있을 때 땅에서 몸으로 몸에서 땅으로 전자를 서로 교환해 사람의 몸이 지구와 동일한 원하 전위로 유지되어 비정상적인 몸 속 동요를 일으키는 전자기장을 물리칠 수 있게 된다. 이렇게 땅 속에 있는 치유 에너지와 계속해서 만나면 혈액이 끈적해지지 않게 되고 생체전기적 동태가 긍정적으로 개선된다. 염증 증상과 통증이 대폭 감소하거나 없어지는 효과를 보는 사람들의 후기도 많이 들려온다.

집 밖에 나가서 맨땅을 밟고 있는 것 만으로도 이렇게 많은 도움을 받을 수 있다는 것이 놀랍지 않은가. 인간은 땅을 밟고 살아가는 존재임을 다시금 확인하게 되는 순간이다. 전자파에 둘러쌓여 있는 지금을 사는 사람들, 그에 더해 고층 아파트에 살고, 고층 건물에서 일하면서 땅과 멀어지고 하늘에 가까운 삶을 살고 있다. 결국 몸은 지구의 힘을 받지 못하고 병들기 시작하는 것이다. 성경에 나오는 바벨탑처럼 인간의 욕심은 끝없이 높이 올라가고자 하지만, 인간이 태어나고 다시 돌아갈 곳은 땅이라는 것을 잊지 말자. 지금 사는 집 또는 직장을 바꾸라는 말이 아니다. 지금보다 더 움직이고, 더 자주 땅과 친해지는 것이 내가 살아갈 앞으로의 삶을 바꿀 수 있는 가장 근본적인 방법이라는 것이다. 손 끝, 발 끝에서 냉기가 나오고 겨울이 되면 견디기 힘들 정도로 손발이 차가워 떨어져 나갈 것 같은 기분이 든다면, 지금이 내 건강을 스스로 지킬 수 있는 가장 빠른 순간이다. 일어나서 움직이자, 맨발로 진짜 땅을 밟자.

우스갯소리로 '건강 60, 골골 80'이란 말이 있다. 건강하면 관리 안 해서 60대에 죽고, 골골거리면 약 기운으로 버텨서 80대에 죽는다는 농담이다. 내일 죽더라도 오늘까지는 두 발로 다녀야 하지 않겠는가? 그 첫 번째가 몸이 따뜻해지는 기초 공사인 것이다. 건물을 지을 때도 바닥 다지기가 제일 중요하듯 건강도 기초 다지기가 필요하다.

8장
하체 바로잡기
무릎

무릎 관리의 시작

무릎은 정강이뼈와 허벅지 뼈를 이어주는 다리 관절이다. 몸의 체중을 지탱해주는 부분으로 인대와 근육들에 의해 안정성을 유지한다. 앉기, 서기, 걷기, 뛰기를 하는데 핵심적인 역할을 한다. 무릎은 평소 걸을 때 체중의 5배의 무게를 버티는데 크고 강한 압력을 버티는 무릎은 굉장히 복잡한 구조의 인대가 지지해 주는 게 특징이다.

　　무릎의 인대[6]는 측부인대와 십자인대로 구성되는데, 부릎의 측부인대는 허벅지뼈(대퇴골)과 종아리뼈(경골) 양쪽 측면에서 무릎이 좌우로 빠져나가지 않도록 고정시켜주는 역할을 한다. 많이 들어봤을 무릎 십자인대는 무릎의 관절 속에 있다. 앞쪽 전방 십자인대와 뒤쪽 후방 십자인대가 X자 형태로 구성되어 있다. 전방십자인대는 허벅지 뼈가 앞으로 미끄러지는 것을 방지하고, 후방십자인대는 종아리뼈가 뒤로 미끄러지는 것을 막아주는 역할을 한다. 선수들이 테클을 당하거

6　인대는 뼈와 뼈를 이어준다.

나 부딪히면서 가장 많이 다치는 인대 중 하나가 십자인대이다. 심지어 일반인들도 십자인대로 고생을 많이 하는데, 이는 운동을 잘못하거나 무리했을 때 십자인대를 다치는 경우가 많기 때문이다.

무릎이 아픈 방향은 크게 두 가지로 나뉘는데, 무릎 앞쪽인 슬개골 쪽으로 통증이 온다면 체형이 비틀어지면서 생기는 문제인 경우가 많고, 무릎의 좌, 우, 뒤쪽으로 통증이 온다면 무릎 자체의 인대나 근육 문제인 경우가 많다. 무릎에 통증이 오면 병원에 방문하여 보통 엑스레이를 찍게 되는데, 무릎의 경우에는 MRI를 찍어야 정확하게 볼 수 있다. 이점은 염두에 두자. 무릎 앞 쪽은 골반이나 손목 관절과는 달리 슬개골이라는 뼈가 방패처럼 무릎 자체를 보호하고 있다. 이 슬개골은 허벅지 근육을 종아리뼈로 이어주는 교차점의 역할도 한다. 위로는 대퇴사두근 인대가 아래로는 슬개건이 부착되어 있는데 이 주변 근육들의 긴장도가 높아지면 슬개골 주변에 통증이 일어나게 된다.

무릎 관절은 손상을 최대한 방지하기 위해 연골과 활액이 존재한다. 연골은 허벅지 뼈와 종아리뼈 사이에 반달 모양의 물렁뼈인데, 간지(間紙)의 역할을 한다고 볼 수 있다. 여러 겹으로 포개진 종이 사이에 넣어서 종이와 종이가 밀접하게 붙는 것을 막아주고, 쉽게 떨어질 수 있도록 분리하는 기능도 하는 종이이다. 즉, 무릎과 무릎 사이에 공간을 만들어주므로써 직접 닿아서 상하는 것을 예방하고 충격을 흡수하고 완화해 주는 쿠션 역할을 한다. 활액은 가동 관절 내 맑고 점성 있는 액체 성분으로 관절의 영양을 공급하고, 무릎이 움직일 때 마찰로 인한 과부하를 방지하는 역할을 한다.

무릎 관절관련 병명 중에 가장 많이 들어보았을 공포의 이름은 퇴행성 관절염과 류마티즘성 관절염이다. 특별한 염증 없이 관절 연골이 서서히 고통스럽게 퇴화되는 질병이다. 60세 이상은 2~3명 중 1명이 앓고 있을 정도로 아주 흔한 질환이다. 류마티즘성 관절염은 자가면역 항체가 자기 관절을 공격하여 발생하는 염증성 질환으로 염증을 일으켜 관절의 모든 부분을 손상시킬 수 있는 물질을 면역계가 어떻게 생성시키는지 아직까지 알려지지 않았다. 병원에서는 퇴행성, 류마티즘성 관절염의 치료 방법으로 주사와 약물에 의존하고 있다. 최고의 의사는 예방하는 의사라고 주나라 화타가 이야기했다. 관절염은 단순히 조금 아픈 거로 시작이 되지만 매순간 진행형이기에 환자에게는 더욱 고통스럽다. 관절염의 증상이 매일 진행되더라도 통증이 정체되거나 종종 감소하는 경우가 있는데, 이때를 놓치지 말고 빠르게 걷기, 계단 오르기, 체중 감량으로 무릎의 안정성과 기능을 높이는 노력을 하게 되면 통증을 줄일 수 있는 희망이 있다.

스쿼트 대신 줄넘기

허벅지, 엉덩이, 종아리를 포함한 하체 근력 발달에 대표적인 운동으로 스쿼트(Squat)를 많이 한다. 스쿼트를 할 때 가장 많이 단련되는 하체 근육으로는 대퇴사두근, 대둔근, 슬굴곡근, 햄스트링, 복직근이 있다. 스쿼트는 하체 단련뿐 아니라 전신 근육 발달, 심장, 혈액순환, 자율신경에 자극을 줘 전체적인 건강 증진에 도움이 된다.

　　스쿼트의 자세를 보면 어릴 때 학교에서 벌서던 자세 중 '투명의자'라는 것이 있는데, 투명의자를 상상하며 그곳에 앉는다고 생각하고 운동을 하면 된다. 투명의자 그 시작이 정확하게 알려진 것은 없지만 전설처럼 학생과 선생님들에게 전수되어 내려 왔다. 남다른 제자 사랑과 대한민국 교육의 자긍심을 품은 철학으로 근육 발달과 정신 건강이라는 두 가지 측면을 모두 고려해서 나온 매우 훌륭한 체벌 중 하나이다. 하지만 스쿼트를 하면서 허벅지를 만져보면, 허벅지 바깥쪽 근육은 굉장히 탄력적이고, 단단해지는 것을 느낄 수 있다. 반면 허벅지 안쪽 근육을 만져보면 바깥쪽에 비해 상당히 부드럽고, 긴장도가 떨어지는 것을 느낄 수 있다. 모든 사람들에게 좋은 운동이라는 스쿼트를 오랫동안 하게 되면 무릎 앞쪽이 아프게 되는 경우가 많다. 허벅지 바깥쪽만 단련하다보니 안쪽 근육이 불안정해지고 허벅지 밸런스가 무너지면서 무릎 앞쪽의 슬개골 주변이 불편해지게 되는 것이다.

허벅지 전체 근육을 발달시키고, 혈액 순환과 심장을 강화 시킬 수 있는 것은 누구나 할 수 있는 줄넘기이다. 무릎이 아픈 사람들은 당연히 줄넘기를 하는 것은 무리이다. 처음부터 운동장에 나가서 줄을 넘기는 줄넘기를 할 필요는 없다. 대신 아이들 놀이기구나 홈트레이닝용으로 많이 사용하는 '미니 트램펄린' 혹은 '에어 보드' 위에서 5센티가량 점프를 하게 되면 무릎에 많은 무리가 가지 않고도 줄넘기의 효과를 볼 수 있다. 꼭 줄을 넘겨야 줄넘기가 아니다. 에어 보드는 줄 없는 줄넘기를 같이 판매하는 경우도 있어서 집 안에서 줄넘기하는 데 많은 도움이 된다. 에어 보드 위에서 줄넘기를 하면 아파트에서는 층간 소음 문제가 해결되고, 아울러 무릎이 아픈 사람들에겐 무릎의 충격 흡수 역할을 하므로 안정되게 운동을 할 수 있는 여건을 마련해준다.

줄넘기를 하게 되면 허벅지 근육과 종아리 근육의 단련이 가능하다. 근육이 한쪽만 발달되도록 비틀어서 하는 운동이 아니라 발 모양을 11자 모양으로 가지런히 해서 진행하기에 무릎의 비틀림을 예방할 수 있다. 그래서 줄넘기를 많이 하면 오다리나 엑스다리인 사람들도 균형이 잡힌다. 또한 줄넘기는 점프를 하면서 위, 아래로 움직이게 되어 장의 연동 운동량을 증폭시킬 수 있다. 장내 순환이 잘 돼야 몸 전체가 건강해지고, 따뜻해지는 것을 느낄 수 있게 된다.

　　무릎의 통증이 있을 때 많은 시간을 할애하여 줄넘기를 할 필요는 없다. 처음엔 10개부터 간단히 시작하다 보면, 어느새 많은 양의 줄넘기를 하게 되는 자신을 볼 수 있을 것이다.

바지 속에 감춘 휜 다리

치마는 20세기 초까지만 해도 서양의 남자아이들도 입고 다녔던 의복이었으나 1, 2차 세계대전을 지나고 현대에 와서 문화의 차이는 있겠지만, 전 세계 많은 나라에서 여성복으로 정착되었다. 치마를 입을 때 여성들이 제일 신경 쓰이는 부분은 어디일까? 다리털? 짧은 다리? 굽은 다리? '연예인들처럼 곧고 길쭉한 다리를 원하지만, 이번 생은 포기하고 휜 다리만이라도 좀 펴졌으면 좋겠다'라고 생각하는 사람들이 의외로 많다. 휜 다리 때문에 치마를 입고 싶어도 못 입는 사람도 있고, 치마를 입으면 창피해서 어쩔 줄 몰라 하는 사람들 대부분은 '오다리'라는 콤플렉스에 시달리고 있다. 오다리의 정식 명칭은 '내반슬'이다. 내반슬은 무릎이 안쪽으로 휘어져 들어가 무릎 간격이 벌어지는 현상으로 알파벳 'O'모양을 한다고 하여 오다리라는 표현이 붙었고, 반대로 엑스다리 '외반슬'은 무릎이 바깥쪽으로 휘어져 나가 무릎이 모이며 'X'자 형태를 하고 있어 엑스다리라는 표현이 붙었다.

1세 이하의 영아에게서 보이는 생리적 내반슬은 자연스러운 것이다. 3세에서 6세 사이는 오히려 외반슬로 휘었다가 6세 이후로는 정상적인 형태로 곧게 자라는 게 일반적인 패턴이다. 하지만, 아직 완전히 걷기도 시작하기 전인 아이에게 보행기에 태워서 많이 걷게 하거나, 걸음마를 빨리 시작한 아이가 비만인 경우 과도한 체중으로 인해 내반슬이 악화되는 경우도 종종 있다. 병원에서는 일반적으로 5세 이전의 아이라면 보조기의 도움을 받기를 권하고, 사춘기 이후 성인에게도 무릎 스트레칭과 보조기 착용을 권하되 중증 내반슬의 경우 교정절골술이라는 수술을 하기도 한다.

엑스다리보다는 오다리를 더 신경 쓰는 경향이 있는데, 아무래도 치마를 입었을 때 곧지 않은 다리 라인이나 활처럼 휘어 보이는 게 미적인 측면에서 예뻐 보이지 않기 때문이다. 오다리를 개선하는 방법은 생각보다 많지는 않다. 성인의 경우 뼈가 물리적으로 휘어 있는 경우라면 근본적으로 불가능하다. 다만 근육의 쓰임이나 생활 패턴, 자세에 의한 오다리는 그래도 희망이 있는 편이다.[7]

내반슬의 경우 바깥쪽 다리 근육의 긴장도가 높아져 근육이 바깥쪽 방향으로 당겨지면서 안쪽으로 무릎이 휘어져 들어가는 경우이기 때문에 다리 스트레칭과 근육교정의 포인트를 잘 잡아내는 게 중요하다. 이때 하지 말아야 할 운동이 있는데 스쿼트이다. 스쿼트를 하게 되면 바깥쪽에서 잡아당기는 근육이 강해지기 때문에 내반슬을 더 가속화 시키는 경향이 있다. 이제 내반슬을 개선하기 위해 가장 효과적인 근육교정 혈자리인 음릉천, 양릉천, 족삼리에 대해 알아보자.

7 골격의 문제로 인한 내반슬인지, 습관과 자세로 인한 내반슬인지는 정확한 리딩과 근육교정을 통해 확인할 수 있다.

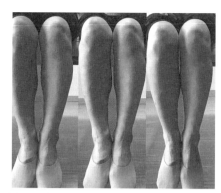

근육의 쓰임, 생활 패턴, 자세에 의한 오다리는 근육교정으로 개선될 수 있는 여지가 있다

　　음릉천은 무릎 밑, 종아리 안쪽 종아리뼈 즉, 경골 안쪽에 약간 우묵하게 파인 느낌이 드는 곳이다. 이곳은 스스로 눌러도 통증이 심하며, 내반슬이 심한 경우는 압박을 오랫동안 받았기 때문에 눌렀을 때 방사통이 생기기도 한다. 음릉천 위치에는 비복근이 있어서 이 자리가 조금 안정되면 다리 저림이나 발가락에 힘이 들어가는 강도가 좀 더 세지게 된다. 음릉천을 마사지해 주면 부가적인 효과로 부종을 없애주고, 생리불순과 부인과질환 개선, 수족냉증을 개선할 수 있다.

　　양릉천은 음릉천의 반대되는 자리로, 무릎 밑, 종아리 바깥쪽, 종아리뼈 머리 부분에 약간 파인 곳으로 여기를 눌렀을 때 약간 찌릿한 느낌이 드는 경우가 많다. 양릉천의 위치에는 장비골근이 있는데 이 근육을 눌렀을 때 찌릿하며 날카로운 느낌이 발목, 복사뼈까지 뻗어가는 경우가 종종 있다. 이는 내반슬이 있는 많은 사람들에게서 공통되게 나타나는 방사통 중 하나이다. 발목에 통증이 있는 경우에도 장비골근의 포인트인 양릉천을 근육교정 했을 때 발목의 통증이 가라앉는 것을 경험할 수 있다.

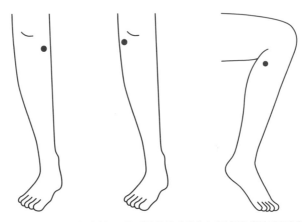

(좌)음릉천 (중)양릉천 (우)족삼리. 내반슬, 무릎, 발목 통증 개선에 효과가 좋은 혈자리들이다

　한의학에서 말하는 양릉천의 효능으로는 소화불량이나 위장에 열이 나는 현상과 딸꾹질, 구역질을 개선할 수 있으며 위궤양을 완화한다고 한다. 한의학에서는 탈모의 원인을 화기(火氣)가 많고, 그 화기가 머리로 뻗치는 것을 잡아주지 못해서 생기는 것으로 보고 있는데 양릉천을 마사지하면 화기를 줄이는 효과를 볼 수 있어 탈모 예방에 탁월한 자리로 알려져 있다. 마지막으로 족삼리가 있는데, 한의학에서 많은 혈자리들 중 중요한 혈자리로 꼽히는 곳이다. 소화계통 질환, 호흡기 질환, 다리와 무릎 부분의 각종 증상을 치료하는 데 효과가 있는 자리이며, 근육의 기능으로 봤을 때 무릎의 통증, 발목의 통증, 내반슬의 각도를 좁히는데 중요한 위치이다.

　족삼리는 슬개골 바로 밑에 움푹 파인 곳이 두 군데가 나타나는데 바깥쪽 파인 곳에서 3치(네 개 손가락)를 놓은 지점이다. 이곳도 눌렀을 때 찌릿찌릿한 느낌이 들지만, 조금의 자극에도 약간씩 풀리는 느낌이 든다. 족삼리 위치에는 전경골근이 있는데 이 근육은 정강이뼈 머리 부분에서 시작해서 발바닥으로 이어져 있으며, 발바닥에는 1번 중족골과 1번 설상골에 붙어있다. 이 근육을 눌렀을 때 정강이와 엄지발가락으로 방사통을 일으킨다. 달리기나 등산 그리고 줄넘기를 많이 했을 때 정강이 앞쪽이 피로해지고 약간 부기가 느껴질 수 있는 곳이다. 족삼리는 굳이 내반슬이 아니더라도 자주 눌러주면 다리의 부기가 빠지고, 혈액 순환이 잘 되어 발이 따뜻해지는 느낌이 드는 곳이다. 마사지 봉으로 자주 눌러주면 여성들에겐 다리의 부기를 가장 빨리 빼 줄 수 있는 곳이어서 날씬한 다리를 유지하는 데 도움이 많이 될 것이다. 무릎 밑에 있는 이 세 혈자리는 내반슬과 무릎의 통증과 발목의 불편함까지 한 번에 해결할 수 있는 포인트다. 그냥 눌러도 생각보다 많이 아픈 곳으로 혈액 순환만 잘 되면 지금처럼 아픈 것은 그리 오래 가지 않는다.

무릎 아래쪽 외에도 내반슬 개선에 효과적인 포인트는 허벅지에 있다. 허벅지 근육 중 대퇴사두근(rectus femoris)은 대퇴직근, 내측광근, 외측광근, 중간광근 이렇게 네 가지 근육으로 구성되어 있는 근육이다. 이 근육의 기능이 떨어지면 무릎 통증, 슬개건염 등 무릎 관련 통증을 일으키고, 허벅지 바깥쪽과 뒤쪽에서 아련하게 퍼지는 통증을 일으키는 곳이기도 하다.

대퇴사두근의 근육교정 포인트는 양구혈이다. 양구혈(梁丘穴)은 허벅지 앞에서 바깥쪽 무릎 위 3~4cm에 움푹 들어간 자리이다. 정확한 자리를 찾아서 누르면 날카로운 느낌이 들고, 무릎 뒤쪽과 양구혈 대각선 방향 안쪽으로 찌릿한 경우가 있다. 이 부분이 위아래 쪽으로 길게 단단한 느낌이 나면 무릎 통증뿐만 아니라 내반슬에 많은 영향을 끼치게 된다. 이 근육은 폼롤러나 지압봉을 통해 꾸준히 관리해 주

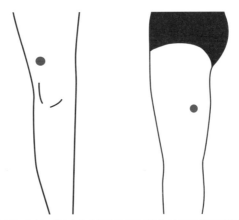

(좌)양구혈 (우)풍시혈. 내반슬 개선과 함께 무릎 통증을 줄이는데 좋은 혈자리이다

면 첫 번째로 무릎의 통증이 줄어드는 느낌이 들고, 두 번째로는 다리가 따뜻해지는 느낌이 든다.

　　허벅지의 긴장도로 인한 내반슬을 유발하는 또 다른 위치로 대퇴근막장근(tensor fasciae latae muscle)과 장경인대(iliotibial band)가 있다. 장경인대는 전상장골극에서 시작해서 무릎 옆 움푹 팬 곳까지 붙어 있는데, 고관절 굴곡과 다리의 바깥쪽 안쪽의 회전을 담당하고 있다. 이 근육과 인대의 긴장이 높아졌을 때는 휜 다리, 고관절, 허리, 무릎에 많은 불균형을 초래한다. 이 부분의 핵심은 풍이 시작되는 곳이라는 별명을 가진 풍시혈(風市穴)이다. 풍시혈은 차렷 자세를 했을 때 허벅지 바깥쪽에서 중지 손가락 끝에 오는 자리이다. 찾기 쉬운 편에 속하는 혈자리이지만 급소로 취급되고 있어, 운동 중 부딪히는 순간 그 자리에 주저앉을 수 있을 만큼 다리에 힘이 풀리는 곳이다. 이곳을 누르게 되면 무릎 바깥쪽까지 찌릿한 방사통이 온다. 폼롤러로 운동할 때 대부분 곡소리 나는 곳 중 하나이다. 이 부분의 혈액 순환이 원활하고,

근육의 긴장도가 풀리면 날씬한 허벅지를 기대할 수 있다.

나이 때문이 아닌 요실금

요실금은 소변이 조절되지 못하고 자신도 모르게 흘러나오는 증상을 의미한다. 우리나라 여성의 약 35~40%가 요실금을 경험했거나 그 증상이 있는 것으로 조사됐다. 요실금은 갑작스레 복압이 올라갈 때 경험할 수 있는데, 순간 복압이 올라가는 경우는 여러 가지가 있지만 일상생활에서 겪는 일은 재채기나 크게 웃을 때, 갑자기 뛰거나 운동할 때이다.

　　많은 사람들이 요실금은 노화 과정 중 일어나는 '정상적인 현상이다'라고 생각하지만, 노화는 요실금의 악화 요인일 뿐 당연히 받아들여야 할 현상은 아니다. 여성의 경우 출산 중 손상 혹은 출산 후 방광을 지지하는 골반 근육이 약해져 복압을 견딜 수 없어 방광과 요도가 쳐지기도 하고, 폐경 후 에스트로겐 수치의 감소로 요도 괄약근이 약해져 생기기도 한다. 요실금은 원인만큼 종류도 다양하다.

- 스트레스(복압)성 요실금
  기침이나 재채기, 무거운 물건을 들어서 복압이 올라갈 때 주로 증상이 발생하며 60대 이후 여성에게 가장 많이 나타난다.
- 절박성 요실금
  갑자기 방광이 수축해서 속옷을 내리기 전 소변이 나오는 경우인데, 60대 이후 남녀에게 많다.
- 일출성 요실금

전립선 비대가 있는 남성, 골반 수술을 받은 여성에게서 나타나는데, 방광에 소변이 완전히 비워지지 않아서 생기는 경우다.

• 일과성 요실금

에스트로겐 수치 저하, 요로감염, 과량의 수분 섭취, 커피나 술 같은 이뇨작용을 유도하는 음료 섭취로 인한 경우다. 일시적이고 쉽게 교정할 수 있다.

요실금으로 고생하는 40대 후반 여성은 아직 젊은 나이라 누구에게 말하기도 어렵고, 병원에서 처방받은 약을 먹으면 그때만 좋지 약을 안 먹으면 바로 같은 증상이 나타나 딱히 효과를 보지 못했다. 1년 넘게 병원에 다니니 병원에서도 딱히 치료 방법이 없어서 거의 손을 놓은 상황이었다. 이분 같은 경우엔 출산하고, 계속 서서 일하는 직업을 갖고 있었다. 상담을 하다 보니 앉는 자세는 엉덩이를 대고 무릎을 꿇고 앉는 자세를 좋아했고, 근육 리딩을 해 보니 발가락을 포함한 모든 하체 근육에 전혀 힘이 들어가지 않았다. 골반 이하로는 근육이 아예 없는 상태였고 특히 발가락은 힘이 들어가지 않았는데 다리 중 유일하게 힘이 들어가는 곳은 봉공근이었다. 당사자도 이 근육의 긴장도가 지나치게 높고, 누가 봐도 근육이 너무 단단하다고 느낄 정도였다. 그러다 보니 골반이 받는 하중이 더 증가되고, 허벅지 중간쯤에만 자극이 가도 실수하는 경우가 생겼다.

근육 리딩을 통해서 문제를 발견한 허벅지 안쪽 봉공근은 스트레칭을 통해 이완을 돕고, 스쿼트와 줄넘기를 하면서 경과를 지켜보았는데, 3주차 만에 요실금이 줄고 4주차엔 생활하는 데 불편함이 많이 줄어들었다. 이후 운동과 자기 관리를 통해 요실금은 많이 줄었는데, 운동량이 줄어들면 바로 요실금 증상이 살짝 느껴져 지금까지 꾸준하게 운동으로 관리하고 있는 상황이다.

여기서 잠깐, 조금 전까지만 하더라도 스쿼트가 좋은 운동은 아니라고 했는데, 왜 이 여성분은 스쿼트를 하라고 했을까? 그것은 바로 허벅지 안쪽 근육의 긴장도가 너무 높았기 때문이다. 근육의 힘을 분산시키기 위해서 허벅지 바깥쪽 근육에 힘이 들어가는 스쿼트 운동을 권한 것이다. 책의 서두에 이야기했던 것처럼 남들이 하는 것, 남들이 먹어서 좋아졌다는 음식 등 내 몸에 맞는 것이 무언지 확인도 하지 않고 따라 하면 금방 죽는다. 스쿼트 운동처럼 해야 할 사람과 하지 말아야 할 사람이 있는 운동이 많다는 것을 꼭 기억하자.

이 여성분이 했던 스트레칭에 대해서 알아보기로 하자. 봉공근(sartorius)은 옛날 방직공장의 재단사, 재봉사들에게 많은 문제를 일으켰다고 해서 재단사를 뜻하는 Sartor의 단어에서 유래해 붙여진 이름이다. 봉공근은 양반다리를 하고 앉아서 일하는 자세를 취할 때 고관절의 굴곡, 외전, 외회전의 동작을 가능하게 하는 근육이다. 우리 몸에서 가장 긴 근육으로, 골반 앞에 튀어나온 전상장골극(ASIS - anterior superior iliac spine)에서 시작해서 무릎 밑에 정강이뼈 앞까지 부착되어 있다. 부착 부위가 허벅지 안쪽으로 통증이 일어날 때 사타구니 쪽이나 무릎 안쪽 통증으로 느껴지는 경우도 있지만, 대부분 봉공근 자체의 통증으로 느껴지지는 않아서, 가끔 다른 근육으로 착각하게끔 만드는 경우가 있다. 근육의 통증, 즉 문제가 발생하게 되는 대부분의 상황은 일정 수준 이상으로 긴장도가 높아질 때, 반대로 일정 수준 이하로 약해졌을 때이다. 이 불편함은 주변 근육의 뻐근함, 날카롭게 찌르는 느낌, 저림, 뻣뻣함, 화끈거림 등 다양한 반응으로 일어난다. 봉공근이 문제를 일으키는 많은 경우는 스쿼트를 하다 대퇴사두근의 긴장도가 높아지고 봉공근은 상대적으로 약해졌기 때문이다. 또 바깥쪽 3~5번 발가락에 힘이 들어가지 않으면서 종아리와 무릎에 힘이 안 들어가 봉공근으로 힘을 쓰다 문제가 발생하기도 한다.

봉공근 스트레칭

다리를 올렸을 때 부담이 되지 않는 높이의 의자를 준비한다.

1. 똑바로 서서 한쪽 다리를 올리고, 발가락을 최대한 몸쪽을 바라보게 당긴다. 이때 종아리가 늘어나는 느낌이 날 것이다.
2. 발가락을 최대한 몸쪽으로 당긴 상태에서 올린 다리의 반대쪽으로 몸을 틀어서 'ㅅ'자 모양으로 몸을 만든다. 틀기 전보다 무릎 안쪽부터 사타구니까지 근육이 늘어나는 느낌을 받을 수 있다.

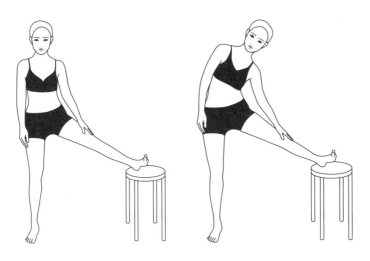

봉공근 스트레칭. 봉공근이 이완되며 요실금, 허리 통증을 개선할 수 있는 동작이다

3. 몸을 틀지 않고 똑바로 서서 올렸던 다리 방향으로 몸을 기울이는 것
   도 좀 더 깊게 스트레치 할 수 있다.

이 스트레칭을 하면 봉공근이 안정되고 빈뇨, 요실금, 허리 통증도 개선
되는 효과가 있다. 아울러 무릎 안쪽의 통증이나 찌르는 듯한 날카로운
느낌이 들 때도 가장 빠르게 진정시키는 효과가 있다.

봉공근이 강하게 당겨지며 다른 근육들까지 약해진 이유는 예
상치도 못한 곳에 있는데, 다음 장에서 자세히 알아보자.

9장
하체 바로잡기
발

밸런스의 핵심

이제 막 걷기 시작한 아이를 포함하여 사람의 발은 우리 몸 전체의 무게를 그대로 받아내는 곳으로 엄청난 하중을 견뎌내고 있는 신체의 일부이다. 발은 우리 몸에 있어서 상당히 많은 뼈의 개수를 보유하고 있다. 발은 성인 뼈 전체 206개 중 1/4인 52개가 발에 있을 정도로 큰 비중을 차지하고 있고, 60개의 관절, 214개의 인대, 38개의 근육을 갖고 있는 견고한 신체 부위이다. 이미 14세기에 레오나르도 다 빈치는 사람의 발을 '인간 공학상 최대의 걸작이자 최고의 예술품'이라고 말했다. 그만큼 발은 지구상 존재하는 가장 완벽하고 견고한 구조물이라고 할 수 있다. 발은 인간으로 태어나서, 앉고, 기고, 서서 말을 하고 생활을 할 수 있도록 묵묵하게 삶을 받쳐주며 살아가라고 응원해 주는 곳이다. 발이 있기 때문에 사람은 발전하고 진화할 수 있었다. 반대로 발이 무너지면 사람의 인생이 무너지고, 사람으로서 살아갈 수 있는 평범함을 잃게 된다.

2018년 4월, 6살 아이를 리딩한 적이 있었다. 일반적인 아이라면 5살 때 달리고 점프하고 노래하고, 있었던 일을 이야기하고 감정을 다 표현할 수 있을 정도로 성장을 한다. 공부에 집착하는 부모 같은 경우엔 5살이면 이미 한글을 떼고, 영어에 피아노까지도 배우는 나이다. 하지만 따뜻한 봄에 만났던 이 아이는 유모차를 타고 와서 베드에 누워만 있었다. 옹알이 외엔 "엄마"라는 말도 하지 못 하고, 키는 6살인데 기저귀를 차고 있고, 앉지도 못하고 누워만 있었다. 누워 있는 상태에서는 수영하듯 발차기만 했고, 팔만 허공에 휘저으면서 손뼉을 치고, 엠피쓰리에서 나오는 음악만 듣고 있었다. 누가 봐도 6~8개월 영아 수준밖에 되지 않았다. 아이를 병원에서 치료하는데 한 달에 300만원이라는 돈을 쓰고 있었지만 아이의 상태는 좋아지지 않고, 계속 그 자리인 안타까운 상황에 만나게 된 것이다. 왜 이렇게 되었는지 상담을 해보니 태어나서 백일이 지나고, 11개월쯤 되었을 때 다리가 오다리이고 발목이 휘어 있다는 이유로 병원진료를 했더니 깁스를 해서 발목을 정상적인 모양으로 만들어 놓아야 한다는 처방을 받았다. 이름만 들으면 다들 아는 대형병원인데, 그런 판단을 했다는 것에 놀랐고, 그걸 그대로 부모님이 동의했다는 것에 두 번 놀랐다. 11개월이면 물건을 잡고 혼자 서기 연습을 할 수 있는데, 이 아이는 태어나고 11개월에 발목에 깁스를 하고 누워 있어야 했다. 발에 무거운 것이 달려 있기 때문에 처음부터 앉거나 걸어야 한다는 본능이 사라지고, 몇 년이나 발달이 늦어지게 된 것이다.

인간처럼 나약한 존재는 없다. 태어나면 바로 뛸 수 있는 근육이 있는 것도 아니고, 발톱이나 치아가 강력하지도 않다. 사람으로서 구실을 할 수 있을 때까지는 부모의 절대적인 도움이 필요하다. 옛날 사람들은 아이를 낳으면 알아서 큰다고 했는데, 알아서 크기까지 노력과 보살핌은 당연히 전제된다. 아이가 있으니 이 부모는 아이가 있는 곳을 피해 담배를 피우는 노력은 했다. 하지만 아이의 상태는 점점 더 안 좋아져 갔다. 그래서 병원과 사설 센터 등에서 언어 치료도 받고, 놀이 치료 등 많은 것들을 했다. 하지만 아이의 발달은 키를 제외하고 나머지는 그대로인 상태로 5살이 된 것이다.

사람은 태어나서 온전히 두 발로 서고, 관심이 있는 사물을 가서 만져보고, 깨물어 보고, 먹어보면서 모든 감각을 통해 성장해 나간다. 발을 땅에 딛는 순간부터 뇌는 폭발적으로 성장하게 된다. 발을 딛지 못하면 언어의 발달, 정서의 발달과 몸의 성장 등 모든 시스템이 정체되고, 멈추게 된다. 부모는 아이를 키울 때는 아이가 하는 모든 행동들 손짓 하나, 몸짓 하나에 크게 반응하며 행복해한다. 만나서 이야기 나눴던 사람 중, 태어나서 뒤집기 하기 전에 "엄마"라고 말했다고 자식 자랑하는 어머니를 만난 적이 있는데 당연히 그랬으리라 믿고 싶다. 하지만 신이 부여한 언어 능력을 소유한 아이를 제외한 나머지 99.9% 평범한 모든 인간은 땅에 발을 딛는다는 전제가 있어야만 말을 하기 시작한다. 지능과 언어의 발달은 뇌의 자극을 통해서 이루어지기 때문이다. 뇌를 가장 강력하게 발달시킬 수 있는 시기는 아이가 태어나서 앉고, 기고, 서서 움직이기 시작할 때다. 이때를 놓치면 아이의 발달 속도는 거의 따라잡기가 불가능할 정도로 뒤처지게 된다.

5살에 머물러 있는 아이의 이야기로 돌아가서, 필자는 매주 아이와 놀아주고, 눈을 마주보며 초점을 맞추고, 운동을 시켰다. 근육교정으로 근육을 발달시키는 작업과 동시에 발가락을 자극해 주었다. 그렇게 6개월이 지난 그해 10월 쯤 아이가 손을 잡고 서고, 손을 잡고 걷는 데 성공을 했다.

국토교통부 '2020년 주거실태조사' 결과에 따르면 우리나라 전체 가구 중 아파트 거주 비율은 51.1%로 나타났다. 아파트는 주거 환경 인프라가 좋고 보안이나 사생활 노출이 적으며 투자 수익 등 장점이 많기에 한국에 사는 사람들 중 절반이 아파트에서 생활한다. 하지만 공동생활로 인해 불편한 것들이 있는데, 대표적인 문제가 층간 소음이다. 층간 소음으로 위, 아래 층간 불화가 생기고 심지어 감정을 추스르지 못해서 살인까지 일어나는 일들이 심심치 않게 일어난다. 상식적인 사람이라면 서로 불필요한 다툼을 피하고자 아이들에게 뛰지 말라고 주의를 준다. 뛰지 말라는 부모의 소리를 듣고 아이들은 아랫집에서 혹시나 연락이 올까 봐 늘 불안해하지만 자기도 모르게 또 뛴다. 혹시라도 예민한 아랫집 사람을 만나면 아이들과 부모의 불행이 시작된다. 뛰지 말라고 소리 지르는 부모와 조금 있으면 울리는 인터폰, 잔뜩 겁먹은 아이들. 이렇게 한 줄기 희망도 안 보이는 절망적인 악순환의 반복이 또 있을까?

층간 소음 문제를 아주 간단하게 해결할 수 있는 방법은 아이들이 뛰지 않으면 된다. 하지만, 아이들의 정서는 병들고, 성장은 더뎌진다. 아이들은 반드시 뛰어야만 한다. 열 발자국을 걷더라도 뛰는 게 정상이다. 아이가 뛰지 않으면 아이에게 뭔가 문제가 생긴 것이다. 층간 소음을 완화하고자 바닥에 폭신하게 매트를 까는 경우도 많다. 매트가 바닥에 깔리게 되면 충격의 완충 작용으로 층간 소음은 약간 줄어들겠지만, 아이들의 발목과 무릎의 성장엔 악영향을 끼치게 된다. 딱딱한 바닥을 밟고, 뛰어야 성장판을 계속 두드리면서 자극을 하고 그로 인해 키도 크고, 뼈도 더 단단해진다. 우리가 접하는 수많은 광고 속에서는 매트에서 뛰어야 무릎이 다치지 않고, 성장하는 데 도움이 된다고 한다. 과격한 운동을 할 때는 다치지 않게 바닥 매트가 필요하지만, 성장하는 데 있어서는 푹신푹신한 매트 바닥보다 흙바닥처럼 딱딱하면서도 부드러운 바닥이 필요한 것이다. 아이가 살아가는 모든 땅이 층간 소음을 완화할 수 있는 매트처럼 형형색색의 푹신한 땅이면 좋을 텐데, 땅의 거의 대부분은 시멘트와 아스팔트가 깔려있는 회색과 검은색의 단단한 땅 위에 살고 있다.

　　우리는 대대로 누런 황토색 흙을 밟고 살았다. 아래로는 땅의 정기를 받고 위로는 하늘의 온기를 받아야 건강해진다. 아래층을 위해 아이가 생활하는 바닥에만 온 신경을 집중해 완충작용에 힘쓰는 것보다 아이의 인생에 피가되고 살이되는 완충작용에 힘쓰기 위해 아파트가 아닌 아이들이 자유롭게 뛰놀 수 있는, 땅을 밟을 수 있는 곳으로 나가자. 맹모삼천지교(孟母三遷之敎)라는 말이 있다. 맹자의 어머니가 맹자의 교육을 위해 세 번이나 이사를 했다는 것에서 나온 말이다. 기원전 사람인 맹자의 어머니가 교육을 위해 세 번이나 이사를 했다면, 교육보다 더 중요한 아이들의 건강을 위해 잠깐이라도 마음 편하게 밟을 수 있는 땅을 찾아가는 것 정도는 해야하지 않겠는가? 교육도 건강이 없으면 아무런 의미가 없고, 호수같이 잔잔하고 깊은 인성의 바탕 없이 교육을 많이 받으면 마른 가지가 산불을 내는 것 같이 더 큰 화가 생긴다. 아이의 건강한 정서는 흙에서 뛰어놀 때 나오고, 그 흙이 생각을 확장시켜 주며, 두 다리가 곧게 설 수 있도록 건강을 내어준다. 흙에서 뛰어놀기 위해서 딛는 발의 견고함은 결국 건강이고 앞으로 살아갈 수 있는 아이의 인생이다.

발의 비틀림, 무지외반

발의 견고함으로 인해 젊을 때는 보통 발에 통증을 잘 못 느끼는 경우가 많다. 과격한 운동이나 발목이 꺾이는 무리한 부상이 아니면 대부분의 통증을 못 느끼고, 심지어 다쳤다고 할지라도 젊은 시절은 폭발적인 회복력으로 금세 다친 것을 잊어버리곤 한다.

발의 문제는 대부분 문제 자체를 인식하지 못하는 상황에서 일어난다. 스쿼트를 열심히 하다 보면 무릎이 아픈 경우가 발생하는데, 이때 발가락에 힘이 들어가는 패턴을 보면 엄지와 검지 발가락은 힘이 들어가지 않고, 중지, 약지, 새끼발가락에만 힘이 들어가서 몸을 지탱하기 때문에 무릎이 아픈 경우가 발생한다. 발가락 전체에 힘이 들어가지 않고, 한쪽으로 기울어진 채 체형이 유지되면 몸이 비틀리고, 이내 통증이 시작된다. 발과 발가락은 몸 전체를 지탱하는 키이다. 자물쇠를 여는 하나뿐인 키가 휘어 있다면 자물쇠를 열기는 불가능하다.

발의 대표적인 문제 중 하나는 무지외반증이다. 남성보다 여성에게 10배 정도 많이 나타나는 증상으로 젊은 날엔 관리도 하지 않고, 인식을 못 하다가 나이가 들면서 발의 문제를 인지하게 되고, 치료를 받기 때문에 젊은 층보단 연령이 높은 층에서 더 많이 생긴다. 무지외반증은 관절염으로 인해 발의 형태가 변형이 되기도 하고, 앞코가 뾰족하거나 좁고 굽이 높은 신발로 인해 발생하는 경우도 많다. 남성이 키높이 구두를 신는 것보다 여성이 앞도 뾰족하고 굽도 높은 하이힐을 신는 인구수가 많기 때문에 여성에게 현저히 높게 발생하는 것이다.

무지외반증(拇趾外反症, hallux valgus)은 엄지발가락의 기형 혹은 과도한 압박으로 커진 단단한 혹을 의미한다. 이런 혹이 생기면 관절을 밖으로 밀어내게 되고, 딱딱하게 튀어나온 부분이 신발에 닿으면 마찰로 인해 피부에 상처가 나고 통증이 생긴다. 게다가 관절의 윤활 주머니에 부기와 염증이 생겨 점액낭염으로 진행될 수 있는데 발을 절뚝거리게 할 만큼 매우 통증이 큰 편이다.

무지외반증은 안타깝게도 수술로 발가락을 똑바로 펴는 방법이 가장 빠르고 확실하다. 그 전에 할 수 있는 것은 굽이 낮고, 끈으로 묶을 수 있는 발 볼이 넓은 신발을 신어 압력과 통증을 줄이는 방법이다. 이는 어쩌면 가장 근본적인 예방이고 치료 방법이지만, 20대 여성들에게 아름다움을 포기하는 것은 쉽지 않은 선택이듯 발을 포기할지라도 힐은 포기할 수 없다는 사람들이 생각보다 많다. 여성으로서 예뻐 보이고 싶은 것은 누구에게나 있는 당연한 욕구이다. 다만 아직 20대에게 건강이라는 단어는 비중이 크지 않기에 예방이라는 것이 의미 없다고 생각될 수 있다. 그렇다면 힐을 신었을 때 발의 변형을 막고, 다리에 부기를 빼며, 휘지 않도록 근육을 매끄럽게 잡아 줄 수 있는 근육교정 포인트와 방법을 알아보자.

첫 번째 포인트는 중족골을 감싸고 있는 근육을 풀어주는 것이다. 중족골(metatarsal bones, 中足骨)이라는 곳은 발목과 발가락뼈 사이에 있는 곳이다. 발허리뼈라고도 하는데, 발의 잘록하고 아치가 있는 부분으로 손으로 보면 손바닥과 같은 곳이라고 생각하면 쉽게 접근이 가능하다. 중족골 위치에는 무지외전근 (Abductor hallucis)이 있는데, 이 근육은 발꿈치뼈 안쪽에서 시작해서 엄지발가락 첫 마디뼈에 붙어 있는 근육으로 엄지발가락 벌리는 데 쓰인다. 꽉 끼는 신발, 높은 신발을 오래 신게 되면 이 근육이 약해지고 짧아지면서 엄지발가락이 바깥쪽으로 튀어나가는 외반을 일으키고 족저근막염까지 일어질 수 있다.

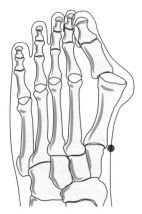

공손(孔孫). 무지외반증 개선에 좋으며 소화 기능 및 설사에도 효과가 있는 혈자리이다

혈자리로는 공손(孔孫)이라는 자리로 엄지발가락 옆쪽에 튀어나오는 관절 부분에서 엄지손가락만큼 떨어진 자리이다. 이 지점의 경우 소화 기능 관련 설사, 구토, 복부팽만에 많은 효과가 있다. 공손혈을 포함해서 무지외반이 일어나는 곳과 중족골의 관절 포인트까지 전체적으로 근육교정을 해 주게 되면 변형된 뼈는 원상복구가 안 되더라도 통증은 대부분 감소한다. 하지만 모든 혈자리나 문제가 일어나는 곳에는 강력한 통증이 오는 것처럼 처음 할 때 온몸이 비틀릴 정도의 통증이 온다. 하지만 20분 이내 통증이 사라지고, 발가락에 힘이 들어가는 것을 바로 느낄 수 있다.

두 번째 포인트는 무릎에서 소개한 족삼리(足三里)라는 혈자리이다. 이 혈자리에 있는 전경골근은 등산이나 갑자기 무리한 운동을 했을 때, 부기가 발생하고 통증이 오는 자리이고 만성적으로 긴장이 높아지게 되면 다리가 비틀리고 발가락의 무지외반증을 발생시키는 근육이다. 발가락과는 거리가 좀 멀지만, 무지외반증으로 인해 발가락

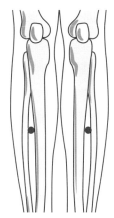

상거허(上巨虛). 무지외반증과 족저근막염에 좋은 효과를 볼 수 있는 혈자리이다

에 힘이 들어가지 않으면 이 근육의 활용되면서 근육의 긴장도가 높아지게 되기 때문이다. 원인과 결과는 언제나 연결되어 있다. 결과물을 제거한다고 원인이 없어지는 것은 아니다. 통증과 불편함의 원인 제공을 하는 부분을 찾아서 제거해야 문제가 빨리 해결된다.

세 번째 포인트는 두 번째 소개한 근육의 다른 지점으로 족삼리의 3치(네 손가락) 아래 상거허(上巨虛) 자리다. 종아리뼈는 두 개로 나누어져 있는데 정강이뼈(경골) 뒤에 보조해 주는 곳을 비골이라고 하는데 그 사이에 있는 틈이다. 이 지점은 직접적인 통증이 적은 부분이지만 족삼리 지점부터 따라 내려와 발목까지 마사지를 해 주다보면 그 중 가장 아픈 곳을 집중적으로 마사지를 해주게 되면 무지외반증으로 인해 발가락이 아픈 부위의 통증이 줄어들 수 있다. 전경골근 전체를 약 10분 정도 마사지를 해 주면, 족저근막염과 무지외반증에 동일하게 효과를 볼 수 있다.

마지막 포인트는 후경골근(tibialis posterior, 後脛骨筋)이다. 이 근

육은 경골 뒤에 붙어서 발가락까지 붙어 있는 근육인데 끝지점으로 가는 과정 중 안쪽 복사뼈 아래쪽을 지나게 된다. 이 포인트가 생각보다 많은 문제를 일으키는 지점이다. 무릎 뒤 종아리부터 아킬레스까지 통증을 일으키는 통증유발점이기도 하지만, 이 근육이 실질적인 문제를 일으키는 부위는 안쪽 복사뼈 아래를 지나가는 곳이다. 삐었을 때 외에는 통증이 일어나는 경우는 많지 않지만, 직접적으로 근육교정을 할 때는 예민하고 찌릿한 느낌으로 오는 경우가 많다.

혈자리로는 조해혈(照海虛)이다. 안쪽 복사뼈 밑에 튀어나온 자리에서 약 1치 정도 아래 움푹 파인 곳이다. 이 부분을 눌렀을 때는 발에 전기 오는 느낌이 들기도 한다. 조해혈뿐 아니라 안쪽 복사뼈 아래 부분 전체를 충분히 마사지 해 줘야 한다. 이 부분에서 문제가 발생하면 발가락에 힘이 들어가지 않아 결과적으로 하체가 약해지게 된다. 발가락에 힘이 들어가지 않으면 몸 전체 균형이 깨지고, 이로 인해 알 수 없는 몸의 불편함이 생긴다. 어깨가 아플때 발가락이 문제의 시작인 경우가 많다. 발가락 힘이 돌아오면 어깨가 아프지 않게 되는데 이런 것은 스스로 확인하기 어려운 것이다. 모든 발가락에 힘을 들어가도록 잡아주면 몸 전체 밸런스를 유지하도록 도울 수 있다.

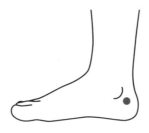

조해혈(照海虛). 무릎 뒤 종아리부터 아킬레스까지의 통증을 줄여줄 수 있는 혈자리이다

무게의 불균형, 족저근막염

족저근막염이라는 말을 많이 들어봤을 것이다. 발바닥이 아픈 증상으로 오랫동안 고생하는 사람들이 꽤 있다. 발바닥 아픈 걸로 몇천만원 쓰는 사람이 있을까? '설마 발바닥 아프다고 몇천만원이나 쓸까?'라는 생각이 들 수도 있지만 안 아파 봤으면 말을 하지 말아야 한다. 발바닥 아픈 것만큼 괴로운게 없다. 자고 일어났는데, 침대 밖에 걸어서 나갈 수가 없다. 바닥에 발을 딛고 서는 것이 힘드니까 당연히 걷고, 뛰는 건 더 힘들어진다. 발바닥이 아프기 때문에 화장실이든 거실이든 침대 밖은 기어 다녀야 하는 상황에 놓이게 된다.

족저근막염은 발뒤꿈치와 발밑 섬유성 조직에 염증이 생기는 것으로, 발뒤꿈치 통증의 주요 원인이 된다. 이 증상은 대부분 불편한 신발을 신어서 나타나는 경우도 있지만 대개 별다른 원인 없이 생기는 경우가 많다. 발뒤꿈치 바로 앞부터 발바닥 전면부까지 심한 통증이 느껴진다. 압력이 가해지면 압통이 심하게 느껴지며, 발을 젖힐 때마다 통증이 더 심해진다. 그러므로 아침에 침대에서 일어날 때 통증이 가장 심하다. 하지만 걸을 때 조직이 유연해지고 늘어나면서 통증이 가라앉지만, 또 움직이지 않으면 통증이 재발한다.

족저근막염으로 발바닥의 통증이 발생했을 때는 염증이 생긴 조직을 쉬게 하는 게 가장 중요하다. 그래서 예방하는 방법 중 가장 확실한 것은 다이어트다. 무게를 줄여야 발의 압박이 덜하기 때문에 무리한 운동을 피하면서 무게를 줄이는 것이 가장 확실한 방법이다. 운동 없이 다이어트를 하는 방법으로는 몸의 독소를 배출하는 해독 다이어트가 있다. 해독은 건강식품이나 해독주스 등 가공된 공산품으로 하는 것보다 앞서 다이어트에서 이야기 했듯이 간 스스로 해독할 수 있는 시간을 주는 방법이 가장 좋다. 간이 몸의 독소를 밀어내면서 해독이 되면 여러 식품을 섭취해서 해독하는 것보다 훨씬 더 빠르고, 안정되게 몸이 좋아짐을 느낄 수 있을 것이다.

그 다음은 바른 체형이다. 체형이 불균형하게 되면 골반이 비틀리고 그로인해 하중을 받는 발의 무게 중심이 깨지기 때문에 발바닥에까지 불균형이 초래된다. 골반의 위치가 정확하게 세팅되는 것이 중요하다. 카이로프랙틱이나 추나, 도수치료를 통해서 정확한 뼈 위치를 맞춰 놓아도 생활하면서 근육의 긴장도가 높아지거나 몸의 쓰임이 잘못된 동작이 많다면 몸의 균형은 다시 깨지게 되는 것이다. 몸의 균형을 잡는 것은 뼈의 위치도 중요하지만, 근육의 바른 밸런스가 중요하다. 근육교정은 그 근육의 쓰임과 바른 패턴을 맞춰 놓는 과정이다. 바른 체형을 위해선 바른 몸 사용이 반드시 필요하다. 전체적인 체형의 조화가 이루어지면 발바닥의 통증은 생각보다 빨리 사라지게 된다.

통증이 심할 때는, 걸어 다닌 직후 10~15분 정도 얼음찜질을 하면 통증 완화에 도움이 된다. 운동 경기 중계를 보면 중간 쉬는 시간에 선수들이 라커룸이나 벤치에 앉아서 얼음찜질하는 것을 볼 수 있다. 부하가 걸려있는 근육을 쉬게 해주기 위해서는 혈관을 수축시키고 부종과 근육 내 출혈 완화를 위해 냉찜질이 필요한 것이다. 꽁꽁 얼린 얼음을 몸에 직접 대는 것은 피부 손상이나 동상의 위험이 있으므로 절대 직접적인 냉찜질을 하면 안 된다. 얼음으로 할 경우 젖은 수건을 5~8겹 정도 싸서 사용하고, 온도는 3~7도 사이의 찬 기운을 느낄 수 있도록 하는 것이 좋다. 걸어 다닌 직후가 아닌 경우에는 통증 완화와 혈액 순환을 증가시키기 위해 온찜질을 해 주는 것이 좋다. 다만 몸에 부기가 있을 때 온찜질은 염증이 더 퍼져나가도록 순환을 시킬 수 있으므로 주의해야 한다. 정리하면 부종이나 부기가 있고 순간적인 부하가 걸렸을 때는 냉찜질, 혈액 순환과 통증 완화를 위해서는 온찜질을 하자. 마지막으로 아침에 일어날 때, 바로 일어나지 말고 발을 위, 아래, 좌, 우로 움직여 걷기 전에 먼저 발바닥 조직이 유연하게 풀어지도록 스트레칭을 해 준다. 아킬레스건이 꽉 조이면 발뒤꿈치에 압력이 가해지기 때문에 아킬레스건염 예방을 위해 종아리 스트레칭을 매일 해 주는 것도 좋다.

족저근막(plantar aponeurosis)은 종골이라는 발뒤꿈치 뼈부터 시작해서 발바닥 전체를 덮고 지나 발바닥 앞쪽 발가락까지 붙은 두껍고 강한 섬유 띠를 말한다. 이름을 풀이해보면 '발 밑 근육을 덮고 있는 막'이라고 할 수 있지만 실제로는 발바닥 전체를 덮는 힘줄인 건막에 가깝다. 발바닥 통증으로 고통받는 족저근막염의 경우 발을 내딛고 종아리를 구부리는 힘이 약해서 발바닥이 땅에 세게 부딪히는 상황이 빈번하게 일어나는 것이 원인이 된다. 다리 힘이 약해지는 원인 중 비복근(gastrocnemius muscle)의 약화가 큰 비중을 차지한다. 비복근은 허벅지 뼈 하단에서 시작해서 아킬레스건으로 연결되어 종골(발뒤꿈치 뼈)까지 부착이 되어 있다. 이 근육은 단거리 달리기나 점프할 때 많이 사용되며, 이 근육의 긴장도가 높아지면 다리에 경련이나 쥐가 자주 나게 된다.

근육교정 포인트는 무릎 뒤 오목하게 패인 오금부터 마사지를 해서 종아리 전체를 풀어줘야 한다. 동물은 도가니라고도 표현하는 곳인데, 오금이 붓거나 당겨지게 되면 발바닥까지 깊은 영향을 미친다. 오금부터 천천히 마사지를 해서 내려오면 혈자리로는 승근혈(承筋穴)

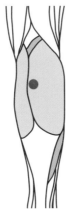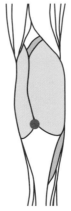

(좌)승근혈(承筋穴). 다리 구부리는 힘이 좋아지고 쥐가 났을 때 효과가 좋은 혈자리이다
(우)승산혈(承山穴). 허리에서부터 하체의 불편함을 해소할 수 있는 혈자리이다

이 나온다. 승근혈은 오금의 주름부터 아래로 손가락 여섯개(4치) 정
도 되는 지점으로 아킬레스건으로부터 올라온 비복근에 위치해 있다.
이곳을 자극해 주면 허리와 장딴지가 아플 때, 쥐가 날 때 바로 효과를
볼 수 있고, 구부리는 힘이 약하면 배가 밑으로 쳐지고 방광에 무리가
가면서 요실금이나 빈뇨의 증상이 자주 나타나게 되는데 다리 구부리
는 힘이 좋아지는 게 느껴진다.

승근혈 밑으로 비복근에 위치한 승산혈(承山穴)이 있다. 이 근육
은 종아리를 봤을 때 아킬레스건부터 위로 올라오면 근육이 좌우로 갈
라지는 '人'자 모양의 움푹 파인 곳인데 누르면 극한의 고통을 느낄 수
있는 곳이다. 이곳은 다리가 쑤시고, 무릎통증, 허리통증, 족저근막염
등 허리부터 하체의 전체 불편함을 해소하기 위한 핵심 혈자리이다. 이
부분을 포함하여 위로는 승근혈을 지나 오금까지, 아래로는 아킬레스
건까지 충분한 마사지를 해 주면 족저근막염의 통증이 가라앉는 게 느
껴진다. 승산혈을 좌우로 마사지하다 보면 통증이 극대화되는 곳을 발

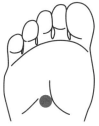

용천혈(湧泉穴). 발바닥과 무지외반 통증에 도움이 되며 생명과 기운이 샘솟는 혈자리이다

견할 수 있는데 그 부분은 특히 부드러운 자극을 지속적으로 주어야 한다. 부드러워서 느리게 느껴지지만 결과적으로는 통증을 가장 빠르고 완벽하게 제거할 수 있다. 마사지를 꾸준히 진행하면서 뒤에 소개하는 스트레칭을 추가하면 더욱 좋다.

　　마지막으로 용천혈(湧泉穴)이 있다. 죽은 사람도 살린다는 혈자리로 생명과 기운이 샘처럼 솟아난다고 하는 자리이다. 이 혈자리는 발바닥 앞쪽 '人'가 교차하는 부분에 위치한다. 발바닥 전체의 통증과 무지외반에 많은 도움이 되며, 더불어 혈액이 순환되도록 해서 몸이 냉한 사람에게는 특히 좋은 혈자리이다. 이곳을 자극하는 방법은 족저근막염 스트레칭 2를 참고하기 바란다.

족저근막염 스트레칭

스트레칭 1

벽을 바라보고 서서 양손을 벽에 댄다. 체중 전체를 양손에 지탱하고 스트레칭을 해야 하는 다리를 한 보폭 이상 뒤로 뺀다. 이후 뺀 다리는 쭉

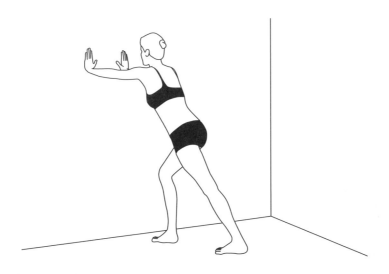

족저근막염 스트레칭1. 종아리 전체를 이완하며 승근혈과 승산혈을 자극할 수 있는 동작이다

뻗은 채로 유지하고 앞의 지탱이 역할을 하고 있는 다리를 지긋이 굽히면
서 눌러준다.

이때 핵심은 양 발바닥은 바닥에 붙인 상태여야 한다는 것이다. 30
초가량 유지해 주고 다른 다리로 바꿔주면서 스트레칭을 해 준다.

스트레칭 2

일반적으로 욕실은 물이 욕실 밖으로 넘치지 않기 위해 거실보다 조금
낮게 설계돼 있다. 욕실 문턱 높이는 욕실 안에서 볼 때 대략 7cm 정도로
설계되어 있다. 각 집마다 높이의 차이는 있겠지만 대동소이할 것이다.

우리의 뇌는 걸을 때 다리의 보폭을 계산한다. 사람은 누구나 축이
되는 다리와 지탱이 역할을 하는 다리가 있다. 습관적으로 짝다리를 짚
을 때 보통 편한 다리가 있고, 그렇지 않은 다리가 있는데 편한 다리는 어
딘가 기대고 있을 때 혹은 몸의 무게 중심을 그 다리 위로만 싣게 된다. 이

때 몸의 무게를 다 받는 다리가 축의 역할을 하게 되고 반대 다리는 지팡이 역할을 하게 된다. 또 다리를 꼬는 습관을 보면 대부분 축이 되는 다리가 밑에 있고, 지팡이 역할을 하는 다리를 위로 올려서 꼬는 경우가 많다. 보통의 체형 패턴을 보면 축이 되는 다리가 짧고, 지팡이 역할을 하는 다리는 긴 편이다. 바지를 입을 때 항상 지팡이 역할을 하는 다리를 먼저 입고, 축이 되는 다리를 늦게 입는다. 그래서 본능적으로 축은 몸을 지탱해야 하므로 지팡이 역할을 하는 다리가 먼저 걷기 시작한다. 저 멀리 육교가 보이면 계단의 첫발을 내딛는 다리를 지팡이 역할을 하는 다리로 설정하기 위해 보폭을 조정한다. 그래서 항상 내가 먼저 내딛는 다리를 무의식적으로 결정해 놓은 상황이다.

욕실 안에서 욕실 문을 바라보고 문턱보다 한 발자국 보폭 뒤에 선다. 한쪽 다리를 들어 용천혈이 있는 발바닥 앞쪽을 욕실 문턱에 댄다. 이 자세만으로 비복근과 아킬레스, 발바닥에 자극이 들어간다. 용천혈 자리를 문턱에 대고 있을 때 이 발의 발뒤꿈치는 반드시 욕실 바닥에 대고 있어야 한다. 발뒤꿈치를 떼면 스트레칭이 정확하게 들어가지 않는다. 그 다음 욕실에 있던 반대쪽 발을 들어 욕실 밖으로 한 걸음 나가게 된다. 보폭으로 따지면 처음 시작점에서 두 발걸음이 된다. 이 상황이 되면 비복근과 아킬레스, 발바닥의 자극이 강하게 느껴진다. 종아리가 아프다고 몸을 숙이면 스트레칭의 의미가 없다. 최대한 가슴을 펴고, 허리를 곧게 펴면서 양손은 문 양옆을 잡고, 균형을 잃지 않게 주의한다. 30초 이상 유지해 주면 좋다.

반대쪽 스트레칭이 들어갈 때는 반드시 처음 시작했던 자리로 뒤로 한걸음 돌아가서 시작해야 한다. 이미 발의 각도를 잡아놓고 시작하면 뇌에서는 계산이 끝났기 때문에 스트레칭이 정확하게 들어가지 않는다.

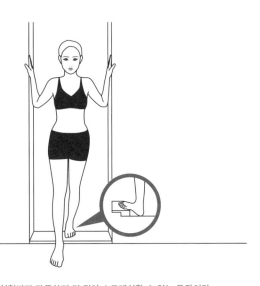

족저근막염 스트레칭2. 용천혈까지 자극하며 더 깊이 스트레치할 수 있는 동작이다

처음 시작했던 자리에서 반대쪽 발을 문턱에 걸치고, 욕실에 있던 다리를 밖으로 내딛고 스트레칭한다. 두 발이 처음 시작된 지점에서 스트레칭을 하는 것과 문턱에서 교차하는 스트레칭할 때 스트레치 되는 느낌과 각도가 완전히 다르다는 것을 알 수 있다.

우리 집 화장실 문턱이 7cm를 훌쩍 넘는다면 욕실 대신 방문으로 가보자. 방문 문턱에 전문 서적 1300~1500페이지 정도 되는 서적을 밟고 스트레칭하면 정확하고 안정되게 할 수 있다. 옛날에 사용하던 전화번호부 정도 두께의 서적으로 생각하면 된다.

이 스트레칭은 평소 종아리에 쥐가 자주 나는 경우 가장 완벽한 예방법이다. 쥐가 났을 때 이 동작이 가능하다면 바로 해결할 수 있다.

직립보행의 결과물, 고혈압

족저근막염과 함께 같이 알고 가야 하는 게 있다. 발은 제2의 심장이다. 네발로 보행하는 짐승은 죽을 때까지 심장에 무리가 가지 않는 생활을 할 수 있다. 하지만 인간은 완전히 다르다. 체내에 순환되는 피의 비율 중 15%를 항상 유지해 줘야 하는 곳인 두뇌는 크기에 비해 많은 양의 영양과 산소 공급을 받아야 한다. 머리에 많은 피가 몰려 있기 때문에 두 발로 설 수 있다는 혜택을 받는 대신 정작 피의 분포에 대한 가성비가 굉장히 떨어지는 신체 구조를 갖게 된 것이다. 몸 전체에서 피의 분배를 공평하게 나눠 쓰면 문제가 될 리 없으나 특정적으로 많이 필요한 부분이 있으므로 피의 분배 문제로 인해 나이가 들면서 자연스럽게 찾아오는 게 고혈압이다. 나는 굶어도 자식을 위해 희생하는 게 부모이다. 이는 우리 몸에서 단 1초도 멈출 수 없이 꾸준히 일 해야 하는 심장과 같다.

젊었을 땐 저혈압이었는데 나이가 들어서 고혈압이 됐다는 이야기를 자주 듣게 된다. 왜 나이가 들면서 저혈압이 고혈압이 됐을까? 젊었을 땐 없는데 40대가 넘어서면서부터는 왜 혈압 걱정을 해야 할까? 사람의 심장은 몸의 정중앙에서 살짝 왼쪽으로 비켜나 있다. 내 주먹만한 사이즈이며 300g 정도인데, 이 심장이 하는 일은 놀랍다. 심장 박동에 의해 밀려 나간 혈액이 우리 몸을 한 바퀴 도는 데 걸리는 시간은 약 1분이다. 인간의 혈관 총길이 120,000km, 서울-부산 왕복을 140번 할 수 있는 거리를 한순간도 거르지 않고 손가락 끝, 발가락 끝까지 모든 피를 공급하고 있는 것이다. 이렇게 잠을 잘 때도, 밥을 먹을 때도, 움직일 때도 심장은 특정 질환을 제외하고 단 한 번도 피가 역류하는 일은 발생하지 않는다.

　　사람은 나이를 먹으면서 운동 부족과 호르몬의 역습으로 살이 찌고, 스트레스, 흡연, 인스턴트와 산성화된 땅에서 나는 영양가 없는 음식을 섭취하면서 피가 탁해진다. 피가 탁해지면서 혈액순환이 느려지는 것도 고혈압의 원인 중 하나이다. 웅덩이에 고인 물을 빼기 위해서 양수 펌프를 사용해 본 적이 있다면, 물이 차있는 상태에서는 펌프가 고장이 나지 않지만 물이 거의 다 빠지고 펌프가 계속 작동하는데 물이 공급되지 않으면 망가진다는 것을 알 것이다. 우리 몸의 천연 펌프인 심장은 단 한 순간도 멈추지 않고 계속 피를 공급받고 공급하기 위해서 내보내야 하는데, 다리 쪽으로 내려간 피가 원활하게 올라오지 않으면 이때부터 문제가 발생한다.

　　사람의 신체 기관은 생명을 유지하기 위한 기본 리페어 시스템을 갖추고 있다. 양수 펌프처럼 물이 더 이상 공급되지 않으면 어느 순간 굉음을 내다가 펌프가 멈추는 것이 아니라 생명을 유지하고, 살아가야 하기 때문에 몸 스스로가 자연스럽게 다른 방법을 찾아낸다. 예를 들어 다쳐서 혈관이 찢어져 피의 흐름에 문제가 생겼을 때 우회로를 찾아내어 피를 공급하듯, 나이가 들어 발까지 내려간 혈액이 심장까지 올라가기 어려운 상황에 놓이게 되면 기존의 다리 혈관을 수축하여 피를 펌프질해서 심장까지 갈 수 있도록 만든다. 수돗물을 틀었을 때 일반적인 호스를 통해 나오는 물은 멀리 보낼 수 없지만, 호스 앞쪽을 강하게 눌러서 쥐게 되면 호스 내 압력이 높아지면서 수돗물이 멀리 나가는 것과 같은 원리다. 생명을 잃지 않기 위해 혈관을 수축해서라도 혈액 순환을 돕도록 하는 선택을 하는 게 인간의 리페어 시스템이다. 성인병의 시대를 살고 있는 지금의 사람들은 고혈압을 성인병이라는 범주로 묶어 반드시 수치를 낮춰야 하는 질병으로 인식해서 한 번 먹기 시작하면 끊을 수 없는 혈압약에 의존하여 사는 사람들이 대부분이지만, 피가 탁해지고 잘못된 식습관으로 오는 고혈압을 제외한다면 거의 대부분은 혈액 순환 능력이 약해져서 오는 문제인 경우가 많다.

피를 심장으로 가도록 펌프질을 하는 역할은 발가락 5개를 유지해 주는 근육과 무릎 아래 발을 연결해주는 종아리 근육이 맡고 있다. 따라서 발과 종아리 근육이 약해지면 심장으로 피를 뿜어주는 펌프의 기능이 떨어지게 된다. 또한 발의 근육에 손상을 입거나 발의 기능에 문제가 생기면 혈관에 문제가 발생하고, 피가 정체되게 된다. 이때부터 혈압과 몸의 균형이 비틀리게 되는 것이다. 우리 몸의 균형은 어디 한 군데만 잘 잡았다고 전체가 잡히는 게 아니다. 저 밑에 있어서 몇 번째인지 감각도 잘 느낄 수 없는 네 번째 발가락에 마비가 오면 평생 편마비가 온 것처럼 절름발이처럼 걸어야 한다는 것을 당해보지 않으면 누가 알겠는가. 혈관의 수축, 즉 근육의 약화에서 오는 고혈압의 문제는 대학 수학처럼 어렵게 접근할 필요가 없다. 간단한 운동부터 시작하면 혈관 수축에 의한 고혈압은 약을 먹지 않아도 금방 회복될 수 있다. 다만 고혈압은 전문의의 진료를 우선하고 운동을 병행해야 한다는 것을 명심하자.

정상 혈압으로 가는 길의 시작

월요일 1교시에 전교생이 운동장에 모여 아침 조회를 하던 시절이 있었다. 교장 선생님 말씀은 가늘고 길게, 끊길 듯 끊기지 않는 묘한 매력이 있었다. 비라도 오는 날엔 행복했지만 월요일 1교시는 언제나 쨍하게 맑았던 기억이 난다. 지독히도 더운 여름, 줄을 서서 들리지도 않는 교장 선생님 훈화를 듣고 있다 보면 얼굴이 하얗게 되면서 몸이 흔들거리다가 쓰러지는 친구들을 종종 있었다. 대부분 공부 잘하는 친구들이 흐트러짐 없이 교장 선생님의 말씀에 귀를 기울이다가 꼭 쓰러진다. 왜 그럴까? 다른 친구들은 짝다리도 짚고 발장난을 하면서 앞뒤 친구들과 소곤거리는데, 차렷 자세로 움직임 없이 앞만 바라다보면 다리 쪽에 몰려 있는 피가 머리로 원활하게 순환이 되지 않기 때문이다. 중간중간 종아리에 힘을 한 번씩만 주게 되면 쓰러지는 일은 발생하지 않았을 것이다. 발가락과 종아리 근육은 심장으로 피를 올려보내는 가장 완벽한 펌프이다. 혈압이 있다면 운동을 하면서 천천히 혈압약을 끊어보자. 여기에 줄넘기를 추가하면 모든 성인병은 반년 안에 좋아질 수 있다.

하체 혈액순환 스트레칭

벽에 양손을 대고 체중을 손에 싣는다. 발가락은 최대한 벌려준 상태에서 뒤꿈치를 들어 올려 까치발을 한다. 이 상태에서 2~3초 버티고 내려오고, 다시 오르고 내리기를 반복하면 종아리가 단단해지는 느낌이 난다. 이때 다리에 쥐가 나는 느낌이 나는 것은 순간적으로 근육의 긴장도가 높아져서 오는 문제이다. 이 상태가 지속되어 쥐가 나면 근육이 회복되는 시간이 늦어질 수 있으므로 잠시 쉬었다가 다시 한다. 쥐가 날 것 같은 상황을 피하면서 뒤꿈치 드는 운동을 반복해야 한다.

몸 전체 균형을 책임지는 발가락

몇 년 전 티칭 프로님의 소개로 지난해 골프 신인왕을 차지한 선수가 방문했었다. 어릴 때는 잘했는데, 연습을 아무리 해도 시간이 지날수록 거리가 짧아지고 끝에 가서는 공이 흔들리는 현상이 발생하는데 문제점을 못 찾겠다는 고민이 있었다.

골프는 한 쪽으로만 스윙을 하기 때문에, 골프를 하는 사람들은 대부분 밸런스가 무너질 수 밖에 없고 몸은 일반인보다 더 심하게 비틀려 있다. 어드레스 자세 자체가 밸런스가 무너진 자세이니, 1~2년 동안 볼을 한두 개 쳐서 선수가 됐을 리 없는 프로 선수들은 말할 것이 없다. 게다가 편타성 충격은 몸의 근육 컨디션을 더욱 악화시키는 요인이 된다. 근육교정을 통해 밸런스를 잡고, 몸의 불편한 전체 통증은 잡았는데 근본적인 문제는 해결이 되지 않았다.

그래서 연습하는 자세와 피니시 동영상을 보니 문제가 명확하게 드러났다. 발가락에 힘이 들어가지 않았다. 양말을 벗고 확인해보니, 어드레스 자세에 다 펴고 있던 엄지발가락이 피니시 동작에서는 검지 발가락 쪽 위로 살짝 올라가면서 동작이 마무리됐다. 밸런스가 무너진 상태에서 일부 발가락의 힘으로 균형을 잡으려고 했던 결과이다. 엄지발가락이 검지 발가락을 타고 올라가면서 힘의 균형과 몸의 밸런스가 같이 깨진 상황인 것이 핵심 문제였다. 발가락에 힘이 들어가는 걸 리딩해보니 엄지발가락 외에 나머지 네 개의 발가락엔 힘이 전혀 들어가지 않았다. 발가락 전체에 힘이 들어가지 않으면 단순히 발가락에만 균형이 무너지는 게 아니라 종아리 힘의 균형이 깨지고, 무릎, 허리, 어깨, 목 이렇게 순서대로 무너지게 된다.

뇌졸중으로 한쪽을 저는 사람들을 보면 네 번째 발가락에 감각이 없어서 저는 경우가 대부분이다. 네 번째 발가락이 어디에 있는지 집어도 잘 모를 때가 있다. 그만큼 발가락은 민감도도 떨어지고, 반응 속도도 느린 편이다. 하지만 발가락 하나가 힘을 잃고 몸을 지탱하지 못하면 몸 전체의 반응이 무너지게 된다.

발가락에 힘이 있는 것을 체크하는 방법은 매우 간단하다. 누운 상태에서 발가락을 최대한 모아 오므려서 버티고 있으면, 이때 체크하는 사람이 반대 방향으로 발가락을 밀면 힘없이 펴지는 발가락을 찾을 수 있는데 힘이 없는 발가락에 바로 문제가 있는 것이다. 반대로 발가락을 최대한 몸쪽으로 젖히고 있으면, 상대방은 발가락을 구부리도록 힘을 준다. 이때 버티지 못하고 앞으로 숙여지는 발가락에 문제가 있는 것이다. 평균적으로 봤을 때 엄지발가락은 힘이 들어가는 게 느껴지지만, 나머지 네 개 발가락에 힘이 안 들어가는 게 느껴지는 사람들이 더 많다. 하지만 허벅지 힘을 기르기 위해서 스쿼트를 많이 하는 사람들은 엄지와 검지 발가락에 힘이 안 들어가는 경우가 상당히 많은 편이다. 특히 어깨의 통증과 팔 저림, 손목까지 이어지는 통증이 있는 사람들은 새끼발가락에 힘이 들어가지 않는 사람들이 많다. 이때 잡아야 하는 근육은 소지외전근이다.

소지외전근(Abductor Digiti Minimi(Foot))은 발뒤꿈치 뼈부터 시작해서 발의 바깥쪽을 지나 새끼발가락 바깥쪽까지 연결되어 있다. 이 근육은 이름에서부터 연상이 되듯이 새끼발가락을 바깥으로 벌려 줄 수 있는 기능을 한다. 별로 중요한 근육 같지는 않지만, 이 근육이 제 역할을 못 하면 종아리를 비롯해 어깨 통증까지 일어난다. 이 근육의 포인트는 바깥쪽 전체를 근육교정을 하는 것인데, 새끼발가락에 힘

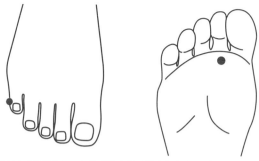

(좌)지음혈(至陰穴) (우)이내정(裏內庭). 발가락에 힘이 들어가게 해주는 혈자리이다

이 안 들어가는 사람이라면 발 바깥쪽 전체가 아프다. 그 중 지음혈(至陰穴)은 소지외전근의 끝부분, 즉 새끼발가락 바깥쪽 발톱 부분 외측에 있는 혈자이다. 이 혈자리는 굉장히 통증이 심한 편이다. 이 부분이 개선되면 발가락에 힘이 들어가면서 종아리, 어깨 통증이 완화되는 걸 느낄 수 있다. 한의학적인 관점에서 보면 두통이나, 코막힘, 콧물을 치료할 수 있는 혈자리로 알려져 있다.

두번째로 단지굴근(flexor digitorum brevis)이다. 이 근육은 발뒤꿈치 뼈부터 시작해서 두 번째 발가락부터 다섯번째 발가락까지 붙어 있는 근육이다. 이 근육은 엄지발가락을 제외하고 발가락의 굴곡에 관여하고, 문제가 발생하게 되면 발바닥 앞쪽에 통증과 쑤시는 느낌이 굉장히 강하게 온다. 이 부분은 골프공이나 테니스공을 바닥에 두고 발바닥을 얹어 눌러서 셀프 마사지를 할 수 있다. 그러면 통증이 좀 줄어드는 느낌을 받을 수 있다. 이곳은 이내정(裏內庭)이라는 혈자리로 두 번째 발가락 아래, 굽혔다 폈다 하는 지점이다. 이 지점도 상상을 초월하게 통증이 심하게 느껴지는 곳이다. 하지만 이 부분의 압통이 없어지게 되면 발가락에 힘이 들어가게 된다.

오늘도 움직여보자

신인왕이었던 20대 여자선수는 발가락에 힘이 들어가고 나니, 운동한 건장한 남성이 발가락을 두 손으로도 펼 수 없을 정도로 힘이 들어갔다. 근육교정을 통해서 발가락에 힘이 들어갔고, 몸이 안정되니 엄지 발가락이 검지 발가락을 덮치는 일은 더 이상 일어나지 않았다. 그 후 거리도 안정적으로 나오기 시작했고, 몸이 완전히 적응한 뒤 본인의 거리보다 더 나오는 것을 확인할 수 있었다.

골프는 열정을 가지고 운동하는 사람들이 상당히 많은 인기있는 스포츠이다. 귀족 운동이라고 해서 옛날엔 쉽게 접하지 못했던 운동이지만, 최근에는 비즈니스나 중년 이후 자연에서 편하게 즐길 수 있는 운동으로 대중에게도 널리 퍼지고 있다. 하지만 늘어나는 골프 인구만큼 몸과 근육의 안전에 대해서 신경 쓰는 사람이 많아져야 하지만 현실은 그렇지 않다. 안정된 몸과 근육 컨디션을 지켜가면서 운동해야 몸의 전체적인 패턴과 건강이 지켜지는데, 운동에만 집중을 하다 보니 가끔씩 허리나 어깨가 아파서 쉬는 경우가 늘어나고, 노년에는 그나마 골프도 하기 어려워지는 경우도 많다.

골반과 허리 건강도 중요하지만, 몸의 안정된 밸런스를 지키기 위해서는 모든 발가락에 힘이 들어가서 온몸을 지탱해 주어야 한다. 발가락에 힘이 들어가지 않은 상태에서 골프를 하는 것은 특히 더 위험하다. 골프뿐만 아니라 일상생활에서도 발가락에 힘이 들어가는 것은 매우 중요한 문제다. 발가락에 힘이 들어가지 않게 되면 더 빠르게 몸이 비틀어지고, 그로인한 통증은 어디서 발생했는지 원인도 찾지 못하고 고생만 하는 경우가 생각보다 많은 것이다. 발가락이 안정된 힘으

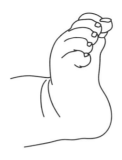

어릴 때 많이 했을 발가락 침침은 발가락에 안정된 힘이 들어갈 수 있도록 도와준다

로 지탱하는 것이 몸의 건강과 직결된다는 것을 알아두자.

그럼 발가락은 어떻게 해야 안정되게 힘이 들어갈 수 있을까? 발가락 운동은 생각보다 간단하다. 발가락을 벌려서 쫙 펴는 동작 하나, 발가락을 최대한 오므려 구부리는 동작, 발가락을 최대한 몸쪽으로 젖히는 동작 이 세 가지만 꾸준히 연습이 되면 발가락에 힘이 들어간다. 발가락 침침은 업무를 볼 때나 공부할 때나 수시로 할 수 있는 운동이다. 지금 당장 한다고 해도 남들은 절대 알아차릴 수 없는 운동으로 케겔 운동하고 같은 개념이다. 수시로 해 주면 당연히 좋아지는 운동이지만, 안 하면 약해질 수밖에 없는 곳이다. 발가락을 구부릴 때는 아이의 발가락처럼 온전하고 예쁘게 모아져야 한다. 초등학생부터 시작해서 성인이 된 후 발가락을 모아보면 검지를 더 구부릴 수 있다든지, 약지가 더 구부릴 수 있다든지 발가락을 구부릴 수 있는 모양이 사람마다 다양하게 나타난다. 항상 발가락에 집중하면서 발가락 침침을 해야 한다. 그래야 온전하게 발가락에 힘이 들어감을 느낄 수 있다.

한창 공부하던 10대 때부터 고등학교 국어 선생님으로 은퇴하는 날까지 허리가 불편했던 분이 있었다. 허리가 편해진다는 운동은 빠지지 않고 많은 운동을 했지만 딱히 좋아지지는 않았고, 많은 운동량에 비해 근육은 전혀 없었다. 근육이 없는 상태에서 근육교정으로 할 수 있는 게 많지 않았기 때문에 '발가락 쥠쥠'을 가르쳐 드렸다. 3주 뒤 다시 상담 전화가 왔다. "발가락 쥠쥠을 하루에 2시간 이상 했는데, 허리 느낌이 이상합니다." 리딩을 위해 다시 만났는데, 단 3주 만에 허리의 근육이 단단하게 잡혔는데 1년 이상 등 근육 운동을 했던 것보다 훨씬 많은 근육이 생겼다. 이 선생님은 허리를 잡아주는 척추세움근에 힘이 있었던 적이 없었기 때문에 새로 생긴 근육이 낯설고 이상한 느낌으로 다가왔던 것이다.

발가락 쥠쥠은 단순히 발가락에만 힘이 들어가게 될 것이라고 생각하기 쉽지만 그 작은 움직임이 몸 전체의 근육을 만들고 균형을 잡는 데 많은 도움이 된다. 발가락이 안정되면 발 위의 코어까지 안정되게 세팅되는 경우가 많다. 아기들이 하는 것이라 우습게 보이겠지만 발가락 쥠쥠은 우리가 상상하는 것보다 훨씬 힘들다. 하지만 기대 이상의 효과를 볼 수 있는 운동이기도 하다. 3주 만에 1년 운동한 만큼 척추세움근이 강화되는 운동은 없다. 내가 필요한 부분의 근육을 강화시켜주는 기본 세팅에 충실하게 임해보자.

이 운동만 꾸준히 하게 되면 몸의 여러 가지 증상들이 해결될 수 있는 기초를 마련할 수 있다. 영아들에게 곤지곤지, 짝짜꿍, 쥠쥠을 시키는 이유는 소근육의 발달과 몸이 버틸 수 있는 근육형성에 도움이 되기 때문이다. 성인들은 이미 손가락을 충분히 사용하고 있다. 문자도 보내야 하고, 검색도 해야 하고, 소중한 핸드폰도 들고 다녀야 하기 때문에 몸이 아무리 약한 사람이라도 핸드폰 쥘 힘은 있다. 대신 발가락은 힘이 온전히 들어가는 사람은 찾기가 어려울 정도인 것이 필자가 무수히 만난 고객들이 보여주는 현실인 것이다. 이미 버린 몸이라고 포기하지 말고, 이제부터 발가락 쬠쬠을 열심히 하면 소근육 발달과 내 몸의 불편한 부분들이 천천히 사라지는 게 느껴질 것이다.

에필로그

인간의 모든 지식을 다 합쳐 놓은 기술의 집약체인 우주선보다 우리의 몸에 내재된 리페어 시스템은 더 정교하며 완벽하다. 일정 선을 넘어서는 부상의 경우 리페어 시스템의 작동이 불가능하지만, 대부분의 작은 상처나 복구 가능한 손상은 리페어 시스템으로 인해 스스로 치료가 가능하다. 리페어 시스템의 핵심은 원래 상태로 되돌려 놓는 것이다.

우리 몸을 가장 건강한 상태로 돌려놓는 방법! 그 첫 번째는 바른 자세다. 바른 자세는 건강의 기본 원칙이다. 바른 자세를 이루어야 몸의 눌리는 부분이 없어지고, 혈액순환의 안정을 찾을 수 있다. 아침 출근길 공사하는 구간을 만나면 극심한 정체가 되는 것처럼 아무리 우회도로를 만들었다고 하더라도 정체는 피할 수 없다. 정상적인 도로가 바른 자세라고 하면, 우회도로는 비틀어진 몸의 컨디션이라고 볼 수 있다. 혈액 순환 장애와 몸의 통증은 기본적인 바른 자세가 무너졌음을 의미한다. 지금까지 책에서 나누었던 이야기들은 바른 자세를 이루기 위한 기초과정이다. 몸의 통증을 없애는 가장 완벽한 이론은 바른 자세이다.

두 번째는 근육교정이다. 근육교정은 전문가에게 맡기는 게 가장 중요하다. 근육의 위치와 이름을 알고, 근육의 결을 찾아 문제가 생긴 부분을 안정시켜 주는 것은 비틀린 몸과 통증을 줄이는 가장 빠른 길이다. 흔히 마사지 샵에서 하는 비틀고, 꼬집고, 때리는 마사지는 권하지 않는다. 퍼포먼스만 보여주기 위해서 혹은 피곤함을 풀어주기 위해서 하는 마사지는 의미가 없다. 나이가 들면서 근육은 자연스럽게 소실되어간다. 그런데 마사지를 통해서 근육을 더 이완시키면 근육이 소실되는 속도만 가속화시킬 뿐이다. 몸이 불편하고 통증이 있다면, 마사지를 받으면서 누워있기 보단 몸을 움직여서 스트레칭을 하고 운동을 하며 몸의 근육을 만들어 두는 것이 더 좋다. 몸의 근육이 안정되면 근육이 잡아주는 뼈나 인대, 건의 비틀림이 줄어들고, 더 나아가 비틀림을 예방할 수 있다. 건물의 골조는 안정적으로 잡혔는데, 외벽의 두께를 한 쪽면에만 두 배의 시멘트로 마감했다고 하면 어떨까? 당연히 처음엔 별로 무리가 없겠지만, 시간이 지나면서 건물이 상하는 속도는 빨라질 것이다. 근육교정은 외벽의 두께를 균일하게 맞춰서 건물이 상하지 않도록 조율해 주는 역할을 하는 것이다. 우리의 몸은 결코 거짓말을 하지 않는다. 사람은 누구나 거짓으로 운동을 했다고 하고, 스트레칭도 하고 바른 자세를 하려고 노력했다고 말할 수 있지만, 몸은 노력을 그대로 드러내 보여준다.

심장 최초의 수술은 1895년 9월 4일 노르웨이인 의사 악셀 카펠렌에 의해 시행된 개흉 수술이다. 비록 3일 후 종격동[8]염으로 환자는 사망하였지만, 이는 현대의학 분야 중 흉부외과 발전에 큰 공헌을 하였다. 이렇게 심장 수술은 130년 가까이 진행되어 눈부신 발전을 이루었다. 하지만, 근골격계는 그 중요성을 인식된 지 얼마 되지 않았고, 아직도 가야 할 길이 먼 분야 중 하나이다. 지금 이 시각에도 너무 많은 이론이 난립하고, 각 사람의 생활 패턴과 환경, 자세, 습관을 무시한 보편적인 운동 처방과 도수치료가 행해지고 있다. 같은 시간대에 태어난

쌍둥이도 생활 습관과 환경에 따라 다른 체형과 다른 얼굴로 살아갈 수 있다. 그런데 너와 나, 우리가 각자 처해 있는 환경이 다름에도 같은 기술과 같은 운동을 하는 게 맞을까?

제일 중요한 것은 내 몸의 리딩(Reading)을 통해서 내가 사용하는 몸의 패턴을 읽어 내는 것이다. 리딩은 내 몸의 밸런스, 자세, 컨디션이 어떤지 정확한 이해가 우선인 동시에 몸에 맞는 운동과 근육교정을 제공하는 일련의 과정 중 첫 걸음이다. 첫 단계인 리딩이 잘못되면 내 몸의 건강은 먼 산에서 찾아야 할지도 모른다. 처음 시작은 언제나 중요하다. 부품을 교체하거나 수리해서 쓸 수 있는 차나 기계 등을 제외하고, 태어나면 죽을 때까지 하나의 몸을 써야 하는 생명체인 경우 잘못을 바로잡는 데 드는 시간과 비용은 매우 많이 들고 고통스러우며, 잘못된 길에 들어서면 걷잡을 수 없는 상처가 남는 게 특징이다.

리딩이 정확하다면 자세를 바꾸고, 몸의 균형을 잡아야 한다. 과연 내 노력이 없이 가능할까? '나는 돈이 많으니까 틀어지고 불편할 때마다 필라테스, 도수치료, 요가 선생님 만나서 바로 잡으면 되겠다.'라고 생각할 수 있다. 이 순수하고 긍정적인 생각은 일백 퍼센트 잘못된 것이다. 남은 나를 고칠 수 없다. 남들이 갖고 있는 지식은 잘 받아들여서 활용하는 것이지 그것을 행동으로 옮기지 않으면 내 것이 될 수 없다. 또한 원장님, 선생님이라고 불리는 시술자들의 마음가짐도 중요하다. 몸이 불편해서 필라테스, 도수치료, 요가를 받으러 오는 사람들은 몸이 회복되리라 기대하고, 기대는 마음이 간절한데, 그 마음을 이용해서 과도한 상술을 펼치면 안 된다. 적절한 타이밍에 혼자 설 수 있도록 도와주어야 하는 게 사람의 몸을 관리하는 직업을 가진 자의 양심이고 직업윤리이다. 몸이 아프고, 불편하게 되면 나이와 상관없이 어린 아이처럼 마음이 약해지게 된다. 야생 동물들도 처음엔 먹이를 갖다주지만, 새끼가 성장하면서 사냥할 수 있는 방법을 가르쳐 준다. 혼자 사냥할 능력이 되는데, 먹이를 갖다주는 동물은 없다. 마찬가지로 몸이 아프고, 불편한 사람이 회복될 수 있도록 도와주고 혼자서 버틸 상황이 되면 좋은 인연으로 간직하고 혼자서 관리할 수 있도록 독려하며 보내주어야 한다. 더 오래 하다 보면 완전히 좋아질 거라는 희망 고문은 당장의 수익은 창출되겠지만 멀리 봤을 때 몸이 아픈 사람에게는 독이 되는 것이다. 혼자 할 수 있도록 도와주자.

'건강해지고 싶지 않은가?'라는 질문에 '원래 이렇게 아픈 거야.'라고 인정해 버리면 건강으로 가는 해답은 결코 찾을 수 없다. 이 짧은 책은 건강에 대해 전문지식을 이야기하고, 내가 할 수 없는 전문적인 운동과 조각 같은 몸매를 만들기 위함이 아니다. 내 자식과 내 배우자와 오랫동안 함께 하기 위한 몸의 기초를 만들기 위함에 초점이 있다. 외울 필요도 없으며, 정독할 필요 없다. 이 책을 덮으면 그대로 나가서 줄넘기를 하는 것만으로 이미 충분한 것이다.

> "어제와 똑같이 살면서 다른 미래를 기대하는 것은 정신병 초기 증세다." - 아인슈타인

오늘 운동하지 않았는데 내일 건강하기를 기대하는 것은 오늘 죽은 이가 하는 후회와 같다. 실천하는 순간들이 모여 건강을 만들어가길 기대해 본다. 이 책을 마지막으로 덮으면서 건강을 다시 생각해 보고, 그 생각이 운동의 실천으로 이어져 무기한으로 멈추었던 기초공사를 다시 시작해 건강의 부를 차곡차곡 쌓는 건강 부자가 되길 기

원한다. 시간의 자유, 경제의 자유를 누리며 푸른 꿈을 꾸는 오늘이 가장 젊은 날이 될 것이다.